뉴노멀 시대의 **트렌디한 대화를 위한**
지식 키워드 164

임요희 편저

문학세계사

뉴 노멀 시대의 **트렌디한 대화를 위한**

지식 키워드 164

임요희 편저

문학세계사

세상과 만나게 해 주는 164개의 트렌디한 키워드

언제부턴가 '알쓸신잡'과 같은 잡학, 얕은 지식이 대접을 받기 시작했다. 이런 지식은, 몰라도 살아가는 데는 큰 지장이 없지만, 알면 모임이나 토크 자리를 윤택하고 풍성하게 만든다. 공부가 필요한 이유는 지식을 뽐내기 위해서가 아니다. 물색 모르고 엉뚱한 질문을 던지는 일을 피하기 위해서다. 공부를 해야 엉뚱한 질문을 하지 않게 되며 제대로 된 리액션을 구사할 수 있다. 인터넷 세상에는 없는 게 없지만, 그 세상에도 사용 빈도가 높은 지식은 따로 있다. 이것을 가려내는 눈, 한 마디로 '지식의 지식'이 필요한 시점이다.

그동안의 교양서적은 외국에서 발행된 것을 그대로 가져다 번역한 것이 대부분이었다. 그러다 보니 한국인의 실정에 맞지 않은 부분이 많았다. 또는 시대순으로 장황하게 지식을 나열해 처음부터 읽지 않으면 맥락을 이해하기 어려웠다. 『트렌디한 대화를 위한 지식 키워드 164』는 최근 페이스북, 베스트셀러, 신문 논설, 지식 강연 가운데 빈번하게 등장하는 단어를 추려 해설을 달았고 '지금, 여기'에 충실해서 현대인이 가장 필요로 하는 지식 위주로 편성했다.

NFT, 어스2, 미얀마 시위, 종부세, 페이팔 마피아 같은 핫한 주제를 다루는 한편 사적유물론, 종말론, 호모 사피엔스, 후추 무역, 대항해 시대, 제국주의 같은 고전적인 지식에도 지면을 할애하고 있다. 해당 꼭지를 함축적으로 보여주는 한 줄의 문장을 추가했으며, 꼭지마다 '함께 읽으면 좋은 책'을 명기해 지식의 확장성을 꾀했다. 위키백과, 나무위키를 읽어도 마구 헷갈리기만 했던 단어의 의미들이 손에 잡힐 듯 다가올 것이다.

타인과의 대화에 있어 가장 중요한 것은 상대의 말을 경청하는 것이다. 여기에 지식과 교양으로 무장한 '적절한 리액션'으로 호응을 보탠다면 더없이 즐거운 대화의 장이 될 것이다. 4차 산업혁명 시대의 지식은 키워드와 키워드, 이론과 이론, 책과 책이 호응하는 지식이다. 우리가 필요로 하는 것은 박제된 교과서적 지식이 아니라 살아 움직이는 지식이다.

이 책을 읽는 법은 딱히 정해져 있지 않다. 하루 한 페이지 읽는 식으로 천천히 완독해도 좋고, 흥미 있는 부분만 골라서 정독해도 좋다. 이렇게 몇 개월을 공부하고 나면 어느 자리에 끼든 대화에 자신감이 생길 것이다.

차례

✤ PART ✤

1

인간은 사회적 동물이다

사회·신조어

딜레탕트

비전문가 지식인

딜레탕트dilettante란 향락적 문예 애호가를 일컫는다. 지식이나 재주가 얕은 전문가를 비꼬아 부르는 말이기 때문에 결코 긍정적인 단어는 아니다. 비슷한 말로 '아마추어'가 있다. '어줍잖은 딜레탕트'와 같은 식으로 많이 사용한다.

시오노 나나미塩野 七生 여사는 미디어 인터뷰에서 스스로를 딜레탕트라 칭했는데 자신의 본질은 역사가가 아니라 역사 소설가라는 이유에서다. 로마라는 나라와 카이사르에 대한 관심에서 '로마인 이야기'를 시작했으므로 역사적 사실과 관련해서는 독자 입장에서 감안하고 보라는 뜻이 되겠다.

이처럼 남을 딜레탕트라고 부르는 것은 실례이고 스스로를 낮출 때 많이 사용한다. 하지만 정부에 대해 신랄한 비판을 아끼지 않는 독일 미디어는 게르하르트 슈뢰더 총리가 이라크 파병을 반대한 것을 두고 '딜레탕티즘'이라 못 박았다. 설사 그게 옳은 일이고 여론이 그렇다 해도 국익을 우선해야 하는 국가 원수가 어설픈 평화주의자 흉내를 낸 것을 비판한 것이다.

우리가 간과해서는 안 되는 것은 공부하지 않는 자에게는 딜레탕트마저 쉬운 일이 아니라는 것이다. 지적인 대화를 위해 깊이 있는 지식은 필요 없지만 지식을 유기적으로 연결하는 센스는 꼭 필요하다. 전문 학술인을 뜻하는 박사博士에 왜 '넓을 박'을 사용하는지 고민해 보자. 딜레탕트와 박사의 뿌리는 같다.

함께 읽기 | 시오노 나나미 『로마인 이야기』

가스라이팅

Q   내가 누군가에게 자꾸 사과하고 있다면

가스라이팅gaslighting이란 대상을 세뇌시켜 정서적으로 통제하는 것을 말한다. 가해자는 상황 조작을 통해 피해자가 자기 판단력에 확신을 갖지 못하게 만든 다음 지배력을 행사한다. 가스라이팅은 부부, 연인, 친구, 가족, 동료 등 주로 가까운 사이에 일어나는 게 특징이다.

가해자는 "짧은 치마 입지 마!", "저녁 8시까지 전화 받아." 등 몇 가지 규칙을 만들어 지키도록 종용하고, 지키지 않으면 약속을 어긴 것에 대해 불같이 화를 내고, 사과하게 만들고, 모욕감을 주는데 그 결과 피해자는 객관적인 판단력을 상실하게 된다. 가스라이팅은 워낙 교묘해서 당하는 사람이 스스로 피해자라는 사실을 인지하기 어렵다. 오히려 당하는 사람이 자책감, 자괴감으로 괴로워하며 그 결과 무기력증과 우울증에 빠지게 된다.

가스라이팅은 1948년 개봉한 영화 가스등GasLight에서 따온 말이다. 영화에 등장하는 청년인 그레고리는 살인범이다. 그는 가수 앨리스 앨퀴스트를 살해한 뒤 오랜 세월이 흘러 그녀의 조카

폴라에게 접근해 결혼에 성공한다. 그레고리는 브로치나 시계 따위를 감춘 뒤 아내가 잃어버린 것으로 꾸미는가 하면, 있던 일을 없던 것으로, 없던 것을 있던 것으로 지어내 그녀가 자신의 감각, 기억 등을 아무것도 믿지 못하게 만든다. 그렇게 만든 후 그레고리는 매일 밤 옆집을 통해 자기 집 다락방으로 잠입한다. 자기가 죽인 앨퀴스트아내의 이모의 보석을 찾기 위해서다. 한 집으로 공급되는 가스의 양은 한계가 있어 그레고리가 다락방에서 가스등을 켜면 아래층 폴라의 방은 불빛이 약해진다. 그녀는 매일 밤 약해지는 가스등 불빛과 다락방에서 들려오는 달그락거리는 소리를 귀신의 장난으로 알고 패닉 상태에 빠진다. 바로 이런 상황, 실제를 환상과 환청인 것처럼 꾸밈으로써 자신의 범죄를 은폐하기 위해 그레고리는 폴라의 정신을 황폐화시켰던 것이다.

덕후

🔍   오타쿠보다 '전문가'

덕후는 만화, 애니메이션, 프라모델에 집착하는 사람들을 일컫는 일본어 오타쿠ぉたく에서 비롯된 단어다. '오덕후'를 거쳐 '덕후'로 자리 잡았다. 원래는 특정 대상에 집착하는 사람들을 의미하는 부정적인 단어였으나 점차 '전문가'를 뜻하는 긍정적인 의미로 발전했다.

일본의 오타쿠가 취미 생활에 빠져 외부와 단절된 삶을 산다면, 한국의 덕후는 직업이 있으면서 취미 생활을 즐긴다는 것이 차이점이다.

한 일간지는 문재인 대통령을 등산 덕후로, 스티브 잡스를 디자인 덕후로 평가했다. 그 밖에 그림책 덕후, 피규어 덕후, 캐릭터 덕후, 운동화 덕후, 매운맛 덕후, 마요네즈 덕후 등 취향이 분명한 사람을 덕후로 인정해 주는 경향이 있다.

덕후에서 파생된 용어로 덕질취미 생활, 입덕덕질을 시작함, 탈덕덕질을 접음, 성덕성공한 덕후, 덕심팬심, 덕력덕질의 공력, 덕밍아웃어떤 분야의 덕후임을 밝힘, 덕업일치일과 취미가 같음가 있다.

한편 특정 문화층에 관심이 없는 일반인을 머글Muggle이라고 한다. 덕후의 반대말인 셈이다. 머글은 J. K. 롤링의 소설 해리포터 시리즈에서 따왔는데 마법사가 아닌 '보통 인간'을 뜻한다.

메갈리아

🔍 메르스가 몰고 온 페미니즘 운동

　'메갈리아'는 페미니즘을 외치는 여성을 속되게 부르는 말이
다. 2015년 5월, 인터넷 커뮤니티 '디시 인사이드'가 메르스중동 호
흡기 증후군 관련 정보를 공유하는 메르스 갤러리메갤 페이지를 개
설하고 얼마 지나지 않아 홍콩에서 한국 여성으로 보이는 여행객
두 명이 메르스 격리 조치를 거부하다가 연행됐다는 게시물이 올
라왔다.

　메갤의 남성 유저들은 두 여성을 '김치녀', '된장녀'로 묘사하며
여성 비하 댓글을 난사했다. 그러나 그 게시물의 주인공이 한국
여성이 아니라는 사실이 밝혀지면서 상황은 극적으로 뒤바뀌었
다. 한국 남성을 혐오하는 목소리가 봇물처럼 터져 나온 것이다.
여기서 나온 말이 '한남충'이다.

　매갤은 남성과 여성의 젠더 위계를 뒤집은 소설 '이갈리아의
딸들'에 빗대 '메갈리아'로 이름을 바꾼 뒤 '여혐혐'처럼 '여성 혐오
를 혐오'하는 식의 미러링으로 여성 혐오에 대응한다. '메갈리아'
의 상징 역시 남성의 성기 크기를 "애개!" 하고 조롱하는 듯한 손

가락 모양이다.

메갈리아의 페미니즘 운동은 점점 극으로 치닫고, 상식을 벗어난 남성 조롱, 언어폭력으로 인해 '나쁜 페미니즘'으로 지목되기에 이르렀다. 숱한 페이지 폐쇄 조치 끝에 2017년 페이스북에서 완전히 퇴출되고 '메갈리아'는 페미니즘 경향의 여성을 폄하하는 보통 명사로 남게 되었다.

여기서 메갈리아와 멧돼지의 합성어 '매돼지'가 파생됐다. 매돼지는 메갈리아와 돼지의 합성어로 역시나 조롱의 네이밍이다. 메갈리아는 숱한 비난에 직면하여 해체되었지만 이후 음란물 사이트 '소라넷'이 폐쇄되고, 페미니즘 서적 판매가 급증하고, 국내에 '미투 운동'이 불면서 한국 페미니즘 역사에 긍정적인 영향을 미쳤다는 평가를 듣고 있다.

함께 읽기 | 게르드 브란튼베르그 『이갈리아의 딸들』

뇌피셜

본인 뇌세포들만 공식 인정

뇌피셜은 개인적인 생각을 마치 검증된 사실처럼 말하는 행위로, 뇌腦와 공식 입장을 뜻하는 오피셜Official의 합성어이다. 본인의 뇌세포들만 공식적으로 인정한다는 뜻.

뇌피셜을 '뻥피셜'이라고도 하는데 잘못된 정보, 왜곡, 망상의 상호 결과물인 '카더라 통신', '가짜 뉴스'를 포함한다. 뇌피셜의 대표적인 예로 2020년 4월에 불거진 '김정은 사망설'이 있다. 김정은 사망설은 북한의 주요 행사에 김정은 국무위원장이 불참하면서 시작됐다. 국내 북한 전문 매체인 데일리NK가 '김 위원장이 심혈관계 시술을 받았다'고 보도한 것을 CNN이 21일 '그런 정보가 있는데 관찰하고 있다'고 했고, 국내 언론이 이를 역수입하여 '김정은 유고시 후계 구도는?' 하는 식으로 발전시켰다.

CNN이 같은 날 오후에 '김정은이 사망했을 가능성이 낮다'고 재발표를 했고, 한국 정부도 '김정은 사망설은 남북 관계가 잘못되기를 바라는 주술적인 주문'이라고 못 박았지만, 김정은 사망설은 가짜 뉴스를 타고 기정사실화되어 갔다. 김정은이 5월 2일, 공식 활동을 재개하고 나서야 김정은 사망설은 꼬리를 내렸다.

온라인 백과사전인 '나무위키'는 막대한 정보량과 재밌는 서술로 인해 많은 구독자를 거느리고 있지만 출처 명기가 불확실해 뇌피셜이라는 불명예도 안고 있다. 나무위키의 가장 큰 장점은 누구나 참여할 수 있다는 것이고, 가장 큰 단점도 누구나 참여할 수 있다는 것이다. 나무위키 측은 점차 전문가 유저들이 참여하여 정확도가 올라가고 있다고 주장하는 중이다.

뇌피셜인지 아닌지 밝히기 위해 등장한 용어가 '팩트체크 FactCheck'이다. 서울대학교는 플랫폼 'SNU 팩트체크'를 출범시켜 언론사들의 팩트체크 결과물을 '큐레이션' 해 주고 있다.

그루밍

🔍   피해자 길들이기

   그루밍Grooming은 '길들인다'는 뜻으로 가해자가 피해자를 길들여 성폭력을 시도하는 것을 말한다. 가해자는 공통의 관심사를 나누거나 고민 상담을 구실로 상대에게 다가가 경계심을 무너뜨린 후 상대가 성관계를 허락하도록 만든다.

   모 연예 기획사 대표가 '연예인을 시켜 주겠다'며 여중생에게 접근해 성관계를 맺은 일, '천국에 가려면 나와 자야 한다'며 어느 교회 목사가 여자 신도에게 성관계를 허락하게 한 일 등이 대표적인 그루밍 성폭력이다.

   그루밍은 강제적인 성폭력이 아니기 때문에 피해자 자신도 성폭력을 당한 줄 모르며, 가해자는 피해자가 보낸 '사랑한다' 등의 문자를 증거로 내세워 무죄를 주장한다. 재판 과정에서도 피해자가 가해자의 편을 들기 때문에 판단을 내리기가 어려워지기도 한다. 아동, 청소년 그루밍에 있어 성폭력을 당했는지 안 당했는지 여부를 피해자가 판단하게 두어선 안 된다는 목소리가 높아지고 있다. 그루밍은 자신을 믿고 의지하는 상대에게

저지르는 폭력이기 때문에 강제적인 폭력보다 질이 나쁘다고
할 수 있다.

확증 편향

🔍 답정너

확증 편향Confirmation Bias은 믿고 싶은 말만 믿고, 불리한 증거는 무시하는 경향을 이른다. 흔히 사람은 보고 싶은 것만 본다고 하는데 이게 바로 확증 편향이다. 비슷한 말로 '답정너의 오류'가 있다. "답은 정해졌으니 너는 대답만 하면 돼!"

확증 편향과 관련해 '보이지 않는 고릴라The invisible Gorilla' 실험이 유명하다. 심리학자인 사이먼스Daniel Simons와 크리스토퍼 샤브리스Christopher Chabris는 사람들이 농구하는 영상을 피실험자에게 보여 주면서 흰옷 입은 사람이 패스를 몇 번이나 하는지 세어 보라고 했다. 사실 이 실험의 진짜 목적은 농구 코트를 가로질러 가는 고릴라를 피실험자가 관찰할 수 있는지 없는지 확인하는 것이었다. 정상적인 상태에서는 코트에 갑자기 등장한 고릴라를 놓칠 수 없지만, 흰옷에 집중한 피실험자 중 누구도 고릴라를 발견하지 못했다.

이로써 알 수 있는 것은 특정한 일에 너무 많은 에너지를 쓰면 뇌가 피로해진 나머지 '보고 싶은 것만 보고, 듣고 싶은 것만 듣게 된다'는 것이다. 이러한 오류는 뇌의 피로를 줄이기 위한 신체의 자연스러운 반응이다.

마음에 드는 이성, 사고 싶었던 주식, 사고 싶었던 부동산이 나타나면 아무리 주변에서 부정적인 이야기를 해도 귀에 잘 들어오지 않게 된다. 이미 답은 정해져 있기 때문이다. 그들 귀에 들어오는 것은 오로지 자신의 결정을 정당화하는 말들뿐이다.

역사적으로도 확증 편향으로 인해 큰 피해를 입었던 예가 있다. 1590년 일본에 통신사 부사로 다녀온 황윤길은 도요토미가 반드시 침략할 것이라고 했고, 김성일은 전쟁이 일어날 가능성이 적다고 했다. 태평하기를 바라는 마음이 강했던 조정은 김성일의 의견을 따랐다. 하지만 바로 2년 뒤, 임진왜란이 일어났다.

검증되지 않은 가짜 뉴스, 부당 이득을 취하려는 사기꾼들에게 속지 않으려면 냉철하고 객관적인 기준을 갖고 있어야 한다.

소셜 스티그마

한 번 찍히면 영원히 찍힌다

소셜 스티그마Social stigma는 사회적으로 한 번 낙인찍힌 사람이 부정적인 성향으로 변해 가는 현상을 말한다. 우리말로 '낙인 효과'다. 스티그마가 그리스어로 '낙인'이라는 뜻. 과거에는 가축이나 노예의 주인이 자기 소유를 표시하기 위해 쇠 인장을 불에 달궈 화인을 찍었으며, 중죄인이나 천민을 표시하는 징표로 얼굴에 도장을 찍기도 했다.

미국 소설가 너새니얼 호손의 대표작 『주홍 글씨』에서 주인공 헤스터는 목사 딤즈데일과 간통한 죄로 간음adultery을 뜻하는 알파벳 A자를 가슴에 달고 살아가는 벌을 받았다. 붉은 낙인을 뜻하는 '주홍 글씨'는 인간을 얽어매는 편견을 상징한다.

사회학에서 낙인 효과는 '실체'와 '선입관' 사이의 간극을 의미한다. 좋지 않은 과거의 행적이 현재의 사회적 활동을 방해할 경우 낙인 효과가 발생했다고 말한다. 과거 우리 사회는 전과자, 유흥업소 여종업원에 대해 이런 스티그마를 찍어 왔다. 본인이 개과천선하려 해도 이런 낙인은 쉽게 떨칠 수 있는 게 아니어서 취업, 결혼 등에 불이익을 받았다.

또한 특정 지역 출신이 입에 붙은 사투리를 걷어 내고 표준어를 사용하려 애쓰는 것도 자칫 낙인 효과로 불이익을 받을까 봐 우려해서이다. 낙인 효과는 청소년의 자존감을 낮추고 학업 욕구를 떨어뜨리는 요인이 되는 것으로 알려졌다. "네까짓 게!", "너는 안 돼!" 이런 말을 자주 듣는 청소년의 잠재의식 속에는 '나는 안 돼!' 하는 생각이 자리 잡게 되며, 자기 능력을 발휘하는 일에 소극적으로 된다는 것이다. 특히 이런 일은 서로를 지지하고 격려해야 하는 가족 간에 자주 발생해 문제가 되고 있다.

낙인 효과의 반대말은 피그말리온 효과다. '고래도 칭찬하면 춤춘다'는 뜻으로 상대에 대한 기대나 관심이, 상대를 긍정적인 방향으로 이끄는 것을 말한다. 피그말리온 효과와 관련해 유명한 실험이 있다. 교육 심리학자 로젠탈과 제이콥슨은 하류층이 많이 거주하는 지역의 어느 공립 초등학교 어린이 20%를 무작위로 선정하여 '지적으로 괄목할 만한 성장을 할 학생들'이라고 각 담임 교사에게 통보해 주었다. 8개월 후, 이 아이들은 선정되지 않은 다른 아이들보다 IQ가 더 높아졌다고 한다.

함께 읽기 | 로버트 로젠탈 『피그말리온 효과: 기대와 칭찬의 힘』

욕구단계설

Q. 가장 높은 차원의 욕구는?

매슬로의 욕구 단계설Maslow's hierarchy of needs은 인간의 욕구는 일련의 위계를 형성하며 나타난다는 이론이다. 이론에 따르면 하나의 욕구가 충족되면 다음 단계의 욕구로 이동하게 되는데 그 욕구를 충족하면 다시 다음 단계의 욕구로 이어진다.

욕구 단계설은 5단의 피라미드 형태로 도식화되며 가장 하단을 떠받치는 것은 생리적 욕구physiological이다. 생리적 욕구는 생명 유지에 반드시 필요한 욕구로 배고픔, 목마름, 성욕, 양육욕으로 나타난다.

생리적 욕구가 해결되면 인간은 그 위의 단계인 안전safety으로 이동한다. 인간이나 동물이나 신체적 위험에서 벗어나려는 본능이 있는데 보금자리를 만들고, 집단을 형성하며 타인의 폭행이나 기후 변화로부터 자신을 보호하고자 한다. 국가를 발명하고 경찰 제도를 고안한 것도 안전 욕구의 발로라고 할 수 있다.

안전 욕구가 충족되면 인간은 그 윗단계인 애정·소속 욕구love, belonging로 이동한다. 인간은 혈연관계나 공동체에 귀속되기를 원할 뿐만 아니라 사람들과 친하게 지내려는 욕구가 있다. 만약 남편이 아내를 때리고, 친구가 친구를 괴롭힌다면 인간은 소속 욕구를 유보하고 전 단계인 안전 욕구로 후퇴하게 된다.

애정·소속 욕구가 충족되면 윗단계인 존경 욕구esteem로 옮아 간다. 인간은 자존감을 보존하고 싶어 하며, 사회적으로 지위를 확보하고자 한다. 공동체 내에서 능력을 인정받고자 하는 것 역시 존경 욕구로 풀이될 수 있다.

존경 욕구가 충족되면 인간의 욕구는 맨 꼭대기의 자아실현 self-actualization 단계로 이동하게 된다. 전 단계인 존경 욕구 단계 가 '자타 공인'에 무게가 실려 있다면, 자아실현 욕구는 남의 시선 에 아랑곳없이 스스로의 만족을 추구하는 단계이다. 자기를 발전 시키는 일, 자신의 잠재력을 발휘하려는 일에 모든 에너지가 집 중되기 때문에 가장 기본적인 욕구인 생리적 욕구마저 뒷전으로 밀려나기 십상이다.

매슬로의 욕구 단계설은 공식적으로 여기까지다. 하지만 세상 을 뜨기 직전, 그는 하나의 욕구 단계를 더 발표한다. 바로 자기 초월의 욕구이다. 인간은 자기완성을 넘어 이타적 삶을 살고자 한다는 것이다. 예수, 석가모니의 삶이 적실한 예다.

생리 욕구, 안전 욕구, 애정 욕구, 존경 욕구를 '결핍 욕구'라고 하고, 자아실현 욕구와 자기 초월 욕구를 '성장 욕구'라고 한다.

밈

Q. 문화는 생명력이 있다

밈meme은 모방mimema과 유전자gene가 결합된 단어로 문화적 복제자를 뜻한다. 리처드 도킨스가 저서 『이기적 유전자』1976에서 처음 창안한 용어이다. 유전자가 생물을 진화시키는 메커니즘의 단위라면, 밈은 문화와 사회 진화의 메커니즘에 관여한다. 유전자가 생식을 통해 수직적으로 전파된다면, 밈은 모방이라는 사회적 방법을 통해 수평적으로 전달되는 특징이 있다.

리처드 도킨스는 진화가 종의 이익으로 수렴된다는 기존의 견해를 뒤집어, 진화가 유전자의 이기성에 의한 것이라고 주장했다. 유전자는 자신의 복제를 목표로 다른 유전자와 경쟁하는데 인간은 유전자를 운반하는 운반자에 불과하다. 밈 역시 이기적이어서 자신의 확산을 최상의 목표로 여긴다.

유전자가 인간을 운반자로 이용하듯 밈은 뇌에서 뇌로 전달된다. 도킨스에 의하면 밈이 있어 인간은 언어, 음악, 사상, 태도, 패션, 건축 등의 문화를 향유하게 됐다.

도킨스는 진화의 조건으로 변이, 유전적 복제력, 차별적 적응

력의 세 가지를 들었는데 유전자와 마찬가지로 밈도 이러한 조건들을 모두 갖추고 있다는 것이다. 인간의 모방은 완벽하지 않으므로 밈은 조금씩 변화된 형태로 전달되며, 성공적으로 많이 전파되는 밈과 그렇지 못한 밈 사이에 차이가 존재하게 된다. 밈도 DNA처럼 자연 선택의 법칙을 따르는 것이다.

이타성과 관련해 인간이 자신을 희생하여 남에게 도움을 주는 행위는 사회 생물학의 풀리지 않는 숙제였다. 밈은 막연히 '인간에게 내재된 도덕적 본능'이라고 설명되던 이타성에 대해 하나의 답이 되어 주었다. 이타적인 사람은 대체로 인기가 많고 다수에게 호감을 얻는데 다른 사람들이 그 행동을 모방하면서 그 밈을 전파시키게 된다. 이타적인 밈은 그렇지 않은 밈보다 더 많이 퍼지게 되므로 이타성이 밈 확산에 기여하는 중요한 요소로 자리 잡은 것이다.

한편 인터넷 유행어로서의 밈은 온라인 합성 사진을 가리킨다. 대표적으로 2020년 초반에 전 세계적으로 10만 개의 짤의미 있는 사진을 양산한 '샌더스 밈'이 있다.

버니 샌더스 상원 의원은 조 바이든 미 대통령의 취임식에 등산복 차림에 손뜨개 장갑을 낀 채 등장하여 디자이너 브랜드로 치장한 유명 인사들을 제치고 큰 존재감을 획득했다. 소신 있는 복장이 오히려 미국식 민주주의의 미덕을 드러낸 것으로 평가 받은 것이다.

TPO

상황에 맞는 복장? 시류에 맞는 복장?

TPOtime, place, occasion는 때, 장소, 상황에 맞는 옷차림을 의미한다. 2020년 8월 4일, 정의당 류호정 의원이 서울 여의도 국회본회의에 무릎이 드러나는 짧은 길이의 원피스를 입고 등장하면서 사회적으로 파장을 일으켰다.

인터넷 커뮤니티를 중심으로 류 의원의 복장에 대해 다양한 지적이 쏟아졌는데 국회에서 짧은 원피스 차림은 부적절하다는 의견과, 일하기 편한 옷을 입으면 그만이라는 의견으로 팽팽하게 맞섰다.

비판자 그룹에서는 때와 장소에 맞게 옷을 갖춰 입는 'TPO'를 강조하며 류 의원이 적절하지 않은 차림으로 국회의 격을 떨어뜨렸다고 주장했다.

류 의원은 "어두운 색 정장과 넥타이로 상징되는 50대 중년 남성 중심의 국회 관행을 깨보고 싶었다."면서 "TPO도 시대 흐름에 따라 변하는 것으로 양복을 입고 일하는 직장인이 점점 줄어드는 시점에서 국회도 변해야 한다."고 항변했다.

국회에서의 TPO 논란은 2003년에도 있었다. 당시 국민개혁정당 의원이었던 유시민 노무현재단 이사장이 흰색 바지를 입고 국회에 참석하여 의원 선서를 하려다 고성과 야유를 들었다. 일명 '빽바지 사건'이 그것이다. 결국 의원 선서는 연기되었고, 유 전 의원은 정장 차림으로 돌아왔다. 그리고 17년이 지나 류 의원의 분홍 원피스가 이슈화되면서 경직된 복장 문화를 개선하자는 목소리가 다시금 고개를 들게 되었다.

━━ 사회·신조어 12 ━━

빵셔틀

Q   때리기보다 수치심 안기기

　빵셔틀은 강제로 매점 심부름을 당하는 학생을 칭하는 신조
어이다. 일종의 학교 폭력이다. 셔틀Shuttle이라는 명칭은 게임
'스타크래프트'에서 가상 종족 프로토스의 병력 수송선인 '셔틀'
이 장거리 공격 유닛인 리버를 위해 이리저리 돌아다니는 모습
에서 따왔다.

　그동안의 학교 폭력은 왕따나 때리기, 놀리기가 지배적이었
다. 그러나 학교 폭력과 관련해 처벌 수위가 올라가면서 이런 물
리적인 폭력은 많이 줄어들었다. 대신 빵셔틀처럼 교묘한 형태의
폭력이 등장했다. 빵셔틀은 외형적으로 부탁의 형태를 띠기 때문
에 남을 괴롭히는 것처럼 보이지 않는다.

　"매점 갈 거면 내 빵도 좀 사다 줄래?" 혹은 "야, 빵셔틀!" 한 마
디에 피해 학생은 알아서 빵을 사 온다. 그들 간에 무슨 일이 일
어났는지 주의 깊게 살펴보지 않으면 알아차리기조차 쉽지 않다.
알아차린다고 해도 눈으로 보이는 폭력 사태가 아니므로 교사도
관여하기 애매한 부분이 있다.

빵셔틀에 비하면 영화 '말죽거리 잔혹사'에 나오는 물리적인 학폭은 차라리 낭만적이라고 할 수 있다. 가해 학생이 피해 학생에게 빵 심부름을 시키는 것은 배가 고프거나 빵이 먹고 싶어서라기보다 상대에게 수치심을 안겨 주기 위해서이다. 그동안 자신이 가정, 사회에서 받았던 불이익과 수치심을 애먼 친구에게 돌려주는 것이다.

한편 빵셔틀에서 파생된 게 와이파이WiFi 셔틀이다. 가해 학생이 피해 학생을 스마트폰 데이터 무제한 요금제에 강제로 가입하게 한 뒤 테더링 기능을 이용해 자신들에게 와이파이 서비스를 하도록 강요하는 것이다.

빵셔틀 폭력은 이 문제가 매우 근본적이라는 데 해결의 어려움이 있다. 인류 역사란 게 강자 중심의 역사였다. 한 국가의 번영은 식민지에서 착취해 간 자원이 토대가 되었다. 같은 국가 안에서도 자유 경쟁이라는 미명 아래 강자와 약자 사이에 착취와 피착취가 자행되었다. 주변 사람은 이를 묵인하고 방조하여 강자에게 동조했다. 어른들의 비겁함을 아이들이 빵셔틀이라는 형태로 답습하고 있는 것이다.

성인지 감수성

여자가 당하는 성차별 인식하기

성인지 감수성性認知 感受性은 기존의 성 역할이 여성에게 불리함을 인식하고 공감하는 능력을 말한다.

성인지 감수성은 1995년 중국 베이징에서 열린 제4차 유엔여성대회에서 처음 등장한 단어이나 한국에서는 2018년 4월, 한 대학교수가 학생을 성희롱한 사건에 대해 대법원이 '성인지 감수성'을 판단 근거로 제시하면서 널리 알려졌다. 당시 대법원은 "성희롱 관련 소송을 심리할 때는 그 사건이 발생한 맥락에서 성차별 문제를 이해하고 양성평등을 실현할 수 있도록 '성인지 감수성'을 잃지 않아야 한다."고 했다.

같은 해, 전 충청남도지사가 수행 비서였던 김 모 씨에게 8개월에 걸쳐 위력에 의한 간음, 추행을 저지른 혐의로 불구속 기소됐다. 2018년 8월에 열린 1심에서 서울서부지방법원은 피고인에게 성폭력 혐의에 대해 무죄를 선고했으나, 2심에서 서울고등법원이 징역 3년 6월을 선고했고, 대법원이 상고를 기각하면서 형이 확정됐다. 1심과 2심의 판결이 바뀌기까지 피해자에 대한 성인지 감수성의 고려가 큰 힘을 발휘한 것으로 알려졌다. 재판부는 "성범죄 사건을 심리할 때는 성차별, 양성평등 등 '성인지 감수성'을 잊지 말아야 한다."고 했다.

인류사는 신석기 시대까지만 해도 모계 씨족 사회였다. 모계 사회란 성씨가 어머니에게서 딸, 외손주에게 전해지는 사회를 말한다. 군혼群婚을 통해 가족이 형성되던 시기, 어머니는 아이들의 유일하고 확실한 부모였기에 모계제는 나름 합리적인 제도였다.

그러나 인류가 가축을 길들여 사육하게 되면서 사유 재산이 발생하게 되었고 남자는 자신의 피를 이어받은 아이에게 재산을 물려주고자 가부장제를 고안하기에 이르렀다. 여자는 남자의 혈통을 지켜 주어야 했으므로 정조를 강요받았다. 하지만 남자는 정조를 지키지 않을 권리를 관습적으로 보장받았다. 이런 과정을 거쳐 남성은 강한 성, 여성은 약한 성이라는 젠더 패러다임이 자리 잡은 것이다.

성인지 감수성은 남자가 강한 성이 아니라는 사실을 깨닫는 데서 출발한다. 성인지 감수성을 높이기 위해 국가적으로 양성평등 교육을 강화하고, 성폭력이 발생하기 쉬운 환경을 바꾸고, 성의 상품화를 지양하고, 사회 전반의 불평등한 구조를 깨는 노력을 기울여야 한다는 목소리가 높다. 최근 국내를 포함하여 전 세계적으로 '나도 당했다!'는 미투 운동이 일어 성범죄에 경각심을 울리고 있다.

함께 읽기 | 프리드리히 엥겔스 『가족, 사유재산, 국가의 기원』

호주제

🔍 　　　　가족의 주인은 남자?

　호주제戶主制는 가족 관계를 '호주와 그의 가족'으로 정리해 온 호적 제도로 2008년 1월 1일에 전격 폐지됐다. 호주제는 가족, 배우자 간에 주종 관계를 형성하고 남계 혈통은 영속되는 반면 여성은 가족 내에서 열등한 위치로 내모는 폐단이 있었다. 호주제 아래에서는 호주가 사망하면 가장의 지위가 장남에게 상속되었는데, 장남이 사망하면 순위가 차남, 미혼인 딸, 처, 어머니, 며느리 순으로 이어져 남아 선호를 조장한 측면도 강했다.

　호주제의 기원은 조선 총독부가 민적법1909년부터 시행을 개정하여 1923년 7월 1일 일본식 호적 제도를 시행한 것이다. 우리 고유의 제도가 아니라 일본의 제도가 이식된 것이다. 그런데 정작 일본은 가부장적인 호주제가 양성평등에 기초한 새로운 헌법에 맞지 않는다고 하여 1948년 1월 1일 이 제도를 폐지했다.

　반면, 한국에서는 1954년 '혼인의 남녀동권'을 기초로 하는 헌법에 호주제가 맞지 않는다 하여 폐지론이 대두되었지만 가차 없이 묵살됐다. 이후 10년을 주기로 호주제 폐지와 관련한 민법 개정안이 국회에 제출되었으나 폐기됐다. 대한민국 국회가 호주제를 폐지하는 민법 개정안을 비로소 통과시킨 시기는 2005년 3월이다. 완전히 폐기된 것은 2008년 1월 1일, 3년의 준비 기간을 마친 가족 관계 등록법이 세상에 나오면서부터다. 2008년 이후의 가족 관계는 가족 관계 등록법에 의거하여 가家가 아닌 개인을 기준으로 작성되고 있다.

페르소나

🔍 사회적인 얼굴

페르소나persona는 '외적 인격' 또는 '가면을 쓴 인격'을 뜻한다. 외적 인격이란 '타인이 나를 이렇게 봐 주었으면 좋겠다'는 의미를 갖고 있다. 칼 구스타프 융Carl Gustav Jung은 페르소나를 일컬어 특별한 목적을 위해 채택된 심리적, 사회적 구성물이라고 했다.

우리는 공동체 안에서 여러 개의 얼굴을 갖고 있다. 연인과 있을 때는 사랑스러운 모습이다가도 가족 관계 안에서는 심술궂은 딸이 된다. 회사에서는 성실한 직장인이, 온라인 커뮤니티에 들어가면 입에 담을 수 없는 욕설로 채팅창을 도배하는 무뢰한이 되기도 한다. 이처럼 페르소나는 때와 장소에 따라 다양하게 나타난다.

융의 용어 '그림자'는 페르소나로 인해 억압된 다른 자아를 뜻한다. 생활이 어려운 친구가 돈을 빌려 달라고 하면 주기 싫은 마음을 억누르고, 억지로 빌려줄 때가 있다. 평판을 위해 착한 척하는 내 모습이 페르소나라면, 주기 싫은 마음은 그림자라고 할 수 있다. 페르소나와 그림자는 동전의 양면 같아서 페르소나를 얼굴에 쓸 때 그림자는 억압된다.

그림자는 평소에는 얌전히 잠자고 있다가 어떤 억제할 수 없는 충동에 의해 밖으로 튀어나오는데 나르시시즘, 이기적인 행동, 시기심, 자랑, 질투, 교만, 인색, 분노, 색욕, 탐욕, 나태의 형태로 나타난다.

내 그림자는 내 눈에 잘 띄지 않는다. 내 그림자를 보려면 타인이 나를 어떻게 대하는지 눈여겨보면 된다. 사람들이 나를 무시하거나 미워한다고 느껴지면 조용히 이유를 물어보자. 한두 사람이 그러면 몰라도 많은 사람이 나를 그렇게 대한다면 내게 문제가 있는 것이다. 타인의 충고를 받아들이면 페르소나와 진짜 나와의 간격이 좁아질 것이고, 발끈하여 거절하면 또 하나의 상처가 무의식 속으로 숨어들어 그림자로 자리 잡을 것이다.

한편 영화 용어로 페르소나는 '분신'을 뜻한다. 작품 속 등장인물이 영화 감독이나 배우 자신일 때 혹은 배우를 통해 감독이 자신을 보여 줄 때 페르소나라고 한다. 배우 장 폴 벨몽도는 장 뤽 고다르 감독의, 장 피에르 레오는 프랑수아 트뤼포 감독의, 로버트 드 니로는 마틴 스콜세지 감독의, 유준상·문성근·김상경은 홍상수 감독의, 드니 라방은 레오스 카락스 감독의, 주윤발은 오우삼 감독의 페르소나로 일컬어진다.

함께 읽기 | 머리 스타인 『융의 영혼의 지도』

퀴어

🔍 사회적 성소수자

퀴어Queer는 본래 '색다른'이라는 뜻이지만 일반적으로 레즈비언, 게이, 양성애자, 트랜스젠더, 무성애자, 범성애자, 젠더퀴어제3의 성 등 성소수자를 의미한다. 이때 소수자라는 의미는 단순히 숫자가 적다기보다 사회에 의해 소수화된, 비주류화된 사람들을 가리킨다.

성소수자의 경우 성 정체성, 성별, 신체상 성적 특징, 성적 지향 등 성적인 부분에서 사회적으로 소수가 된 사람을 일컫는다. 유사 용어로 LGBT가 있다. 레즈비언Lesbian, 게이Gay, 양성애자Bisexual, 트랜스젠더Transgender의 머리글자이다.

성소수자를 성소외자와 헷갈리지 말아야 하는데 '성소외자'란 외모, 장애, 연령, 경제적인 이유로 기본적인 성욕조차 충족시킬 수 없는 상황으로 내몰린 이들을 말한다. 간혹 범죄자에 해당하는 시체성애자나 소아성애자까지 성소수자의 범위에 포함시키는 사람이 있지만 성소수자는 성적 지향과 성 정체성, 신체상의 성과 관련해 한정하여 사용하는 것이 타당하다. 패티시 역시 성소수자가 될 수 없다.

성소수자들은 '상징'을 통해 성소수자 커뮤니티의 정체성을 표현하고 있다. 대표적으로 '분홍 삼각형'과 '무지개 기'가 있다. 분홍 삼각형Pink triangle은 나치가 성소수자를 박해하기 위해 도입한 것이지만 지금은 동성애자들의 자긍심을 나타내는 의미로 재사용되고 있다.

무지개 기rainbow flag는 길버트 베이커가 1978년 샌프란시스코 동성애자 자유 기념행사를 위해 디자인한 것으로 다양성을 상징한다. 그 밖에 성소수자 집단마다 고유한 상징과 깃발을 갖고 있다.

퀴어 행사로는 서울퀴어문화축제를 비롯한 지역퀴어문화축제, 서울 드랙 페스티벌, 한국퀴어영화제, 서울 프라이드 페어, 서울프라이드영화제가 있다.

MZ세대

복잡한 세상 편하게 살아요

MZ세대란, 밀레니얼Millennials 세대와 제네레이션Generation 세대를 통칭하는 이름이다. 밀레니얼 세대Millennial Generation 즉 M세대는 1980년 이후부터 2000년 초반에 태어난 세대로 아날로그와 디지털을 모두 경험해 폭넓고 다원적인 사고방식을 갖고 있다. 밀레니얼스Millennials라고도 하며, X세대의 뒤를 이었다는 점에서 Y세대, 베이비붐 세대의 자녀들이라는 점에서 에코붐 세대echo boomers라고도 한다. 제네레이션 세대 즉 Z세대는 1990년대 중반에서 2000년대 초반에 태어난 세대로, 디지털이 보편화된 세상에서 정보 통신 기술IT의 세례를 흠뻑 받으며 성장한 게 특징이다.

MZ세대는 2019년 인구 총조사에 따르면 총 1,797만 4천 명으로 전체 인구의 34.7%를 차지한다. 한국 인구의 1/3이 MZ세대인 셈이다.

MZ세대를 대표하는 키워드로 '복세편살'이 있다. '복잡한 세상, 편하게 살자.'라는 뜻으로 불편하면 주저 없이 불편하다고 말하는 '프로 불편러' 대부분이 MZ세대다.

특히 90년대생은 2008년 세계 금융 위기의 영향으로 학자금 부담이라는 터널을 지나왔으며, 사회에 진출해서는 2020년부터 본격화된 코로나19 범유행 사태로 인해 경제적 직격탄을 맞았고, 부동산 폭등으로 인해 부모보다 못사는 최초의 세대가 될 것으로 전망되고 있다.

90년대생 상당수가 9급 공무원을 꿈꾸는 것으로 알려졌는데 공무원만큼 복잡한 세상, 편하게 살기 좋은 직업도 없기 때문이다. 책『90년생이 온다』는 90년대생의 세 가지 특징으로 간단, 재미, 정직을 꼽는다. 90년대생 사이에는 줄임말이 전방위로 확대되어 있으며, 이모티콘과 짤방을 적극 활용한다. 또한 재미를 통한 자아실현이 기본이므로 병맛 문화와 드립 문화가 확산되어 있다. 직장 생활에 있어서도 수준 높은 퍼포먼스 문화를 지향하며, 성과에 집중하고, 혁신을 공급하는 일에 가치를 둔다. 이러한 90년대생의 특성을 배려해 각 회사는 자율성과 책임감을 바탕으로 직원 개개인에게 높은 의사 결정 권한을 부여하며, 직원 각자에게 맞는 교육을 제공하는 추세이다.

소비 패턴에 있어 MZ세대가 트렌드 종결자로 불리는 것은 원하는 순간에, 원하는 만큼만 가지면 그만이라고 생각하기 때문이다. MZ세대는 한정판에 열광하고, 소유보다는 공유 소비를 추구하며, 지속 가능성을 고려한다. 이 역시 간단, 재미, 정직의 카테고리 안에서 해석될 수 있다.

함께 읽기 | 임홍택 『90년생이 온다』

탕진잼

🔍 불안한 현실을 소비로 잊다

탕진잼이란 '탕진하는 재미'를 말한다. 저성장 시대를 맞아 정규직이든 비정규직이든 열심히 일을 해도 빈곤을 벗어날 수 없는 현실과, 단돈 몇 푼 아낀다고 부자가 되지 않는다는 사실을 직시한 젊은 층이 돈을 쓰기 시작했다.

2015년 전후에 유행하던 '지름신'이 브랜드 제품이나 구두, 의류 소비를 놓고 빈부 격차 없이 찾아왔다면, 탕진잼은 단돈 1만 원을 쓰면서 재산을 탕진할 만큼의 소비를 했노라고 자조하므로 노동 빈곤층에 더 근접해 있다. 이들은 퇴근길에 생활용품점에 들러 스티커, 마스킹 테이프, 아이돌 굿즈, 립밤, 블러셔, 립스틱, 볼펜 등 자질구레한 물건을 사들이며 소비의 즐거움을 만끽한다.

지름신은 통장을 텅장으로 만들기 때문에 '가책'과 관련이 깊다. 반면 탕진잼은 출발부터가 텅장이기에 '불안'과 한 몸이다. 탕진잼의 소비 범위는 1만 원 안팎이므로 가책이 발붙일 틈이 없다. 대신 그 자리에는 '자조'가 자리 잡는다. 탕진잼은 작고 확실한 행복을 뜻하는 '소확행'과도 차이가 있는데, 탕진잼은 행복을 추구한다기보다 불안한 현실을 잊으려는 몸부림에 가까운 것으로 보여지기 때문이다.

코로나19의 여파로 정부가 긴급재난지원금을 지급하면서 탕진잼은 전성기를 맞이했다. 재난지원금의 목적 자체가 무너진 경기를 세금으로 살려 보려는 것에 있기도 하다. 뜻밖의 공돈을 손에 쥐게 된 대한민국 국민은 가책 없이 탕진잼에 몰두했다고 한다.

플렉스

Q 자본주의 키드의 '돈부림'

플렉스flex는 속어로 돈을 왕창 써 버린다는 뜻이다. 영어 단어 플렉스는 원래 '구부리다'라는 의미였으나 최근 미국 메리엄 웹스터 사전이 '비공식적으로 an act of bragging or showing off자랑하거나 과시하는 행위의 뜻'이라며 그 의미를 확장하여 제시했다.

그렇다면 구부러지는 것과 '자기 과시' 사이에는 무슨 연결 고리가 있는 걸까. 종종 남자들이 건강미를 자랑하기 위해 팔을 '구부리며' 이두박근을 만들어 보이곤 한다. 남자들에게 '알통'은 굉장한 자부심이다. 여기서 플렉스라는 단어와 과시와의 연결점이 생겼고, 미국의 힙합 래퍼들이 이 단어를 노래 가사에 집어넣으면서 과시를 뜻하는 속어가 되었다.

책『트렌드 코리아 2021: 서울대 소비트렌드 분석센터의 2021 전망』을 보면 플렉스는 금수저의 행위라기보다 자신의 노력과 능력의 대가에 대한 인정 욕구 표현에 가깝다고 되어 있다. 이들의 노골적인 '돈부림'은 단순히 교양 없는 짓이 아니라 '자본주의 키드'의 솔직한 욕망의 표출이라는 것이다. '쉽게 가지지 못하는 것을 손에 넣어 성취감을 느끼고, 남들과는 차별화된 소비로 자아를 표현하는 것'을 그들만의 행복 추구 방식으로 인정하자는 것이 이 시대 석학들의 의견이다.

온라인 명품 쇼핑몰 '머스트잇'의 2020년 연간 거래액이 2,600억 원에 이르는 것으로 나타났다. 2019년 매출액이 1,500억이니 70% 이상 증가한 셈이다. 코로나19의 여파로 면세점 이용이 줄어든 것을 감안해도 명품 소비가 늘고 있는 것은 확실하다. 가장 많이 팔리는 상품은 스니커즈이다. 집에서 라면 끓여 먹는 한이 있어도 100만 원짜리 구찌 운동화를 포기 못하는 게 MZ세대 사이의 풍속도인 것이다.

팬덤 정치

🔍 연예인 팬덤 문화가 정치권으로 옮겨 오다

　팬덤이란 '팬'과 '킹덤'의 합성어로 광신자 팬층을 일컫는다. 대중문화에서 사용되던 용어가 정치권으로 옮겨 와 팬덤 정치라 불리게 된 것은 문재인 대통령의 열성 지지층인 '문빠'가 아이돌 추종 집단을 연상시킬 만큼 그에게 열정적인 사랑을 보내면서부터다.

　문 대통령의 캐릭터를 활용한 시계, 머그잔, 열쇠 상품에 '이니 굿즈'라는 애칭이 붙는가 하면 '문팬'이라는 공식 팬카페가 등장하기도 했다. 2018년에는 문재인 대통령의 생일을 맞아 서울 시내 10개의 지하철 역사에 '해피 이니데이'라는 생일 축하 광고가 두 달 가까이 게시됐으며, 뉴욕 타임스퀘어에까지 문 대통령 생일을 축하하는 옥외 광고가 걸렸다. 아이돌 팬덤 문화와 매우 흡사한 양상으로 정치인 팬덤 활동이 펼쳐지고 있는 것이다.

　아이돌의 팬덤을 보면 경쟁 관계에 있는 팬덤 사이에 악성 댓글 달기, 몸싸움 등 심심치 않은 충돌이 일어나는데 정치권에서도 이와 흡사한 일이 벌어지고 있다.

조국 전 법무부 장관에 대해 쓴소리를 하던 금태섭 전 민주당 의원이 지역 연고도 없는 원외 인사에게 경선에서 패해 공천을 받지 못한 것, 김부겸 전 민주당 의원이 문 대통령에게 개헌 관련 전략 보고서가 편향됐다는 소신을 밝혔다가 3,000여 통의 '문자 폭탄'을 받은 일 등에 문빠가 관련됐다는 의혹이 일었다.

팬덤 정치의 극단은 '우리 이니 하고픈 거 다 해!'라는 구호이 다. 늘 감시하고 비판해야 할 대상에 권력을 몰아 주는 일에 대해 일각에서는 우려를 표했지만 구호만 그럴 뿐 한국의 정치 구조 상 그런 일은 불가능하다고 한다.

일각에서는 문빠를 대깨문대가리가 깨져도 문재인이라고 부르기도 한다. 문빠 이전에도 정당의 개입 없이 지지자들이 자발적으로 구성한 모임인 '이회창을 사랑하는 모임창사랑', '노무현을 사랑하 는 모임노사모', '박근혜를 사랑하는 모임박사모'이 있어 진즉부터 팬 덤 정치가 시작되고 있었던 걸로 보기도 한다.

사회·신조어 21

영혼 보내기

흥행에 도움을 주기 위해 표값만 내다

영혼 보내기란 관람 계획이 없는 영화, 공연의 표를 예매해서 흥행에 도움을 주는 행위로 일종의 응원 문화다. 육신은 두고 영혼만 영화관에 보낸다는 뜻에서 이런 이름이 붙었다. 소비자가 표값을 지불하면 실제 관람 유무에 상관없이 관객 수에 집계가 되고 영화 제작사와 영화관에 수익이 돌아간다.

소비자가 영화 제작사나 배우에게 직접 후원을 하지 않고 영화관에 영혼을 보내는 것은 이유가 있다. 관객 수가 늘어나면 해당 작품의 가치가 올라가 흥행을 유도할 수 있을 뿐만 아니라, 차후에 공개되는 통계 자료에 명시되어 영화에 담긴 사상이 사회적으로 영향력을 갖게 된다. 영혼 보내기는, 예매 인증샷만 SNS에 올린 후 상영 직전 예매를 취소하는 소위 '영혼 회수'와는 관련이 없다.

영혼 보내기는 소비 과정에서 가장 중요한 부분인 상품 수령이 생략된 형태로, 관람으로 인한 만족보다는 해당 작품의 흥행을 돕기 위한 것이 목적이므로 사회 운동의 성격이 짙다. 소비와

인간은 사회적 동물이다

기부의 중간 형태가 영혼 보내기인 것이다.

이 단어가 널리 퍼지게 된 계기는 2019년 봄, 페미니즘을 겨냥한 영화『걸캅스』가 개봉을 앞둔 시점에서 여초 사이트 회원들이 '걸캅스 예매! 내 영혼, 걸캅스 관람하러 보냄!' 식의 글과 예매 인증 사진을 올리는 것이 유행하면서부터다. 2019년 가을에 개봉한 『82년생 김지영』 때도 비슷한 현상이 발생했다.

페미니즘 영화는 아니지만 여성 감독이, 여성 주인공을 내세운 여성 서사 영화『미쓰백』2018년 10월 때도 손익 분기점을 달성시켜 줘야 한다는 명목 아래 SNS에서 예매 인증샷이 유행했다.

한쪽에서는 영혼 보내기를 '가치 소비'로까지 치켜세우고 있지만, 다른 한쪽에서는 영혼 보내기가 대중의 진짜 반응이 아니라며 안 좋게 보기도 한다. 예매를 해 놓고 영화를 안 본다는 것은 해당 영화가 시간까지 투자할 만큼 재미있는 것은 아니라는 뜻이라며, 정말 재밌는 영화라면 'N차 관람'까지도 불사하는 것이 맞지 않느냐는 것이다. 또한 '재미는 없지만 페미니즘 영화니까 예매한다' 식의 영혼 보내기는 감독에 대한 모욕이라는 주장도 있다.

실제로 영혼 보내기가 많이 이루어지는 시각은 관람표가 상대적으로 저렴한 평일 조조 내지 심야 영화 시간대다. 여기에 청소년 요금으로 결제하면 가장 저렴한 비용으로 정상적인 좌석을 살 수 있게 된다. 양식 있는 사람들은 가장 늦게 팔리는 앞 열이나 관람에 불편한 좌석을 예매하며 타인을 배려하기도 한다. 그 밖에 지인에게 좌석을 양도하며 관람 기회를 주는 경우가 있다.

밴드왜건 효과

Q 친구 따라 강남 가기

밴드왜건 효과bandwagon effect란 자기 주관 없이 시류에 편승해 투표하거나 물건을 사는 것을 말한다. 다른 말로 편승 효과, 유행 효과라고 한다. 선거를 앞두고 지지할 후보가 없을 경우 이길 것 으로 전망되는 쪽으로 표를 던지는 것이 이에 해당한다.

1848년 미국 대통령 후보 '자카리 테일러'의 선거 참모 '댄 라이스'는 대중의 이목을 끌기 위해 선거 행렬 앞에 악대차밴드왜건를 세우는 아이디어를 냈다. 악단이 음악을 연주하면서 흥을 돋우자 과연 군중들은 선거 행렬을 졸졸 따라다녔다. 이 덕에 자카리 테일러는 대선에서 승리해 제12대 미국 대통령이 되었다.

경제학에서 말하는 밴드왜건 효과란 시중에서 많이 팔리는 상품을 덩달아 사는 것을 말한다. '친구 따라 강남 간다'가 바로 밴드왜건 효과에 해당되는데 주로 기업에서 소비자의 충동구매를 유도하기 위해 이 기법을 사용한다.

대표적인 예가 홈쇼핑이다. 쇼호스트는 '누적 최다 판매', '연일 매진 기록'을 외치며 많이 팔린 상품이라는 것을 강조한다. 많은 사람들이 선택했다는 사실이 곧 믿을 수 있는 제품인 것처럼 인식시키는 것이 밴드왜건 마케팅 기법이다.

음원 시장이나 출판 시장에서 횡행하는 '사재기' 역시 밴드왜건 효과를 노린 마케팅이다. 공기계로 하루 종일 노래를 틀면 해당 곡이 음원 차트 상위권에 진입하게 된다. 그러면 사람들은 '이 노래가 요즘 인기 있나보다' 하며 따라서 클릭하게 된다. 아이돌 팬덤의 총공_{총공격}을 떠올리게 하는 이 기법은 소비자의 편승 효과를 부추기려는 목적에서 이루어진다.

출판계도 특정 책을 베스트셀러 상위권에 진입시키기 위해 다양한 사재기 방법을 써 왔는데 온라인 무료 도서 이벤트 등을 통해 개인 정보를 확보한 후 이를 이용해 도서를 대량 구매하는 것이 대표적인 예다. 출판사에서 사재기에 들인 비용은 책으로 회수된다. 효과에 비해 매우 저렴한 마케팅이라고 할 수 있다. 하지만 사재기는 명백한 위법 행위로, 법의 처벌을 받게 되어 있다.

반대로 유행하는 상품을 구매하기 꺼려하는 심리를 스놉 효과_{속물} 효과라고 한다.

언더독 효과

🔍   약자를 응원해!

언더독 효과underdog effect란 약자가 이기기를 바라는 심리이다. 투견장에서 아래에 깔린 개를 언더독Underdog이라 하고, 위에서 내리누르는 개를 오버독Overdog 또는 탑독Top dog이라고 하는데 깔린 개를 응원하는 데서 비롯된 명칭이다.

프로 야구 한국 시리즈에서 자신이 응원하는 팀이 결승에 오르지 못했다면 아무래도 약팀 쪽으로 마음이 기우는 게 인지상정이다. 이것이 언더독 효과다.

인성 교육과 관련해 학교에서 자주 하는 실험이 있다. '칭찬 양파' 실험이 바로 그것으로 한쪽 양파에는 '칭찬해 주세요'라는 팻말을 붙이고, 다른 양파에는 '비난해 주세요'라는 팻말을 붙인다. 이럴 경우 칭찬받은 양파가 더 잘 자라면 '식물도 칭찬하면 잘 자란다'는 피그말리온적 효과가 되고, 비난 받은 양파가 더 잘 자라면 언더독 효과가 된다. 비난 받는 양파가 불쌍한 나머지 사람들이 "너도 잘 자랐으면 좋겠다!"라며 응원의 말을 하기 때문에 잘 자라는 것으로 해석하는 것이다.

'언더독의 반란'은 영화, 드라마, TV예능에서 자주 채택하는 주제이다. 임유철 감독의 다큐멘터리 영화 『비상』2006은 연습 구장을 빌리기 위해 전국을 전전할 만큼 가난한 데다, 스타플레이어 한 명 없는 인천 유나이티드가 어떻게 2005년 K리그에서 플레이오프에 진출하고 챔피언 결정전에서 준우승을 하게 되었는지 그 과정을 담고 있다. K리그에서 'FC 서울'이 탑독이라면 '인천 유나이티드'는 언더독이다.

이처럼 객관적인 전력으로는 결코 이길 수 없는 팀이 정신력으로 승리를 거두는 것을 언더독의 반란이라고 하며, 이해타산과 관계없이 약자에게 마음이 쏠리는 것을 언더독 효과라고 한다. 언더독 효과에는 실과 바늘처럼 스토리텔링이 따라다닌다.

빌런

Q   우리 사회의 귀여운 악당

빌런villain은 슈퍼 히어로물에 등장하는 악당을 가리키는 말이었으나 최근에는 남에게 폐를 끼치는 사람, 어떤 일에 과한 집착을 보이거나 이상한 행동을 하는 사람으로까지 의미가 확장됐다. 평범한 사람과 다른 행동을 하는 괴짜들을 빌런이라고 부르게 된 데는 히어로물 속 악당들의 특징을 참조한 면이 있다.

슈퍼 히어로물의 악당들은 그럴만한 사연이 있어 엇나가게 된 사람들이다. 대표적인 빌런이 배트맨에 등장하는 조커다. 영화 '조커'는 불우한 유년기를 보낸 아서 플렉이, 웃으면 안 되는 상황에서 병적으로 터지는 웃음 때문에 주변의 오해를 사게 되고 이로 인해 조커가 될 수밖에 없었던 이야기를 다루고 있다.

인터넷상의 빌런을 보면, 위법까지는 아니지만 무지하여 타인에게 피해를 주는 '무식 빌런'이 대세를 이룬다. 주변에 아랑곳없이 소리 내어 껌을 씹는 '껌 빌런', 도서관에서 코를 골며 자는 '드르렁 빌런', 혼자서 차 두 대 공간을 차지하는 '주차 빌런', 식당 바닥에 국물을 쏟고 나 몰라라 하는 '국물 빌런', 돈 빌려서 평양냉면을 사 먹는 '평냉 빌런'이 그 예다.

빌런의 어원은 라틴어 빌라누스villanus에서 왔다. 빌라누스는 농장villa에서 일하는 농부를 뜻하는 말이었다. 중세 시대의 농부는 영주들의 횡포로 인해 열심히 일을 해도 가난에 허덕였는데, 살기 어렵다보니 강도로 돌변해 행인의 돈과 물건을 빼앗는 일이 종종 있었다. 외지에서 온 여행자에게 현지 농민은 곧 악당이었던 것이다.

토착왜구

얼굴은 한국인, 뱃속은 일본인

토착왜구土着倭寇는 청산되지 못한 친일파, 부역자를 가리키는 용어다. 대대로 그 땅에서 살아옴을 뜻하는 '토착'과, 일본의 해적 집단인 '왜구'의 합성어라고 할 수 있다. 이 단어의 원형 격인 '토왜'는 원래 일제 강점기 무렵 한민족이면서 적극적으로 매국 행위를 일삼은 친일 반민족 행위자를 가리키는 말이었다.

해방 이후 자연스럽게 사어가 된 토왜를 역사학자 전우용 씨가 되살렸다. 2019년 3월 그는 SNS를 통해 '토착왜구란 얼굴은 한국인이나 창자는 왜놈인 도깨비 같은 자'라며 우리 사회에 '토착왜구' 무리가 많다고 한탄했다. 아울러 1910년 대한매일신보에 실린 '토왜천지土倭天地'라는 글을 제시하고 아래와 같이 그 뜻을 밝혔다.

첫째, 뜬구름 같은 영화를 얻고자 일본과 이런저런 조약을 체결하고 그 틈에서 몰래 사익을 얻는 자. 일본의 앞잡이 노릇하는 고위 관료층.

둘째, 암암리에 흉계를 숨기고 터무니없는 말로 일본을 위해 선동하는 자. 일본의 침략 행위와 내정 간섭을 지지한 정치인, 언론인.

셋째, 일본군에 의지하여 각 지방에 출몰하며 남의 재산을 빼앗고 부녀자를 겁탈하는 자. 친일 단체 일진회 회원들.

넷째, 저들의 왜구 짓에 대해 원망하는 기색을 드러내면 온갖 거짓말을 날조하여 사람들의 마음에 독을 퍼뜨리는 자. 토왜들을 지지하고 애국자들을 모함하는 가짜 뉴스를 퍼뜨리는 시정잡배.

이상의 용례를 빗대 일본과 친일 반민족 행위자에 우호적인 사람을 비꼬는 말로 자리 잡은 게 유행어 '토착왜구'인 것이다. 이런 현상에 대해, 과거 보수 진영이 진보 진영을 빨갱이로 매도했듯, 진보 진영에서 보수 진영을 토착왜구로 몰아가는 거 아니냐며 우려를 표명하는 시각도 있다.

한편 토착왜구는 왜구가 조선에 귀순해서 토착인이 된 '항왜', 근현대 시기에 일본인이 한반도에 이주하여 습득한 '재한 일본인' 신분과는 상관이 없다.

궁예질

Q   연예인의 사생활 창작하기

　궁예질이란 특별한 근거 없이 상대의 속마음을 단정 짓는다는 뜻이다. 태봉의 군주였던 궁예는 마음을 꿰뚫어 보는 관심법觀心法으로 마음에 안 드는 신하나 정적들을 제거하곤 했다. 궁예질은 이를 빗댄 신조어로서 그냥 '궁예'라고만 하거나 '궁예충 등판'으로 바리에이션 되는 중이다.

　궁예질이 가장 난무하는 곳은 SNS 댓글창이다. 트롤성 게시물을 올려 먼저 궁예질을 해 놓고 댓글을 다는 사람에게 적반하장 격으로 '웬 궁예질이냐'고 반박하는 경우가 있다. 여기서 트롤troll은 단톡방이나 페이스북 같은 SNS 문화에서 일부러 공격적이고 불쾌한 내용을 올려 사람들의 감정을 흔들고, 모임의 생산성을 저하시키는 사람을 가리킨다. 보통 셀럽, 연예인의 사소한 발언이나 표정을 확대 해석해 스토리를 만들거나, 근거 없는 소문을 양산하는 등의 일을 벌인다.

　연예인끼리 스캔들이 터지거나 결별했을 때 당사자들 이외에는 결코 알 수 없는 사생활을 창작하는 경우, 아이돌 그룹에서 다른 멤버에 비해 유독 말수가 없는 특정 멤버가 왕따 당하고 있다고 루머를 퍼뜨리는 경우, 리액션이 약한 멤버를 두고 태도 논란을 일으키는 경우가 궁예질에 속한다.

일상 수다에서도 과거에는 자기 의견을 밝힐 때 "내 개인적인 생각으로는….." 하는 식으로 서두를 시작했는데, 최근에는 "궁예질을 해 보자면…." 하는 식으로 포석을 깐다. 타인의 좋지 않은 소식에 이러쿵저러쿵 이야기를 보태고 싶은데, 혹 들어가면 교양이 없어 보이므로 처음부터 '나는 속물'이라는 전제를 깔고 들어가는 것이다.

정신승리

🔍 자기 합리화로 자존심 지키기

정신승리란 불리한 상황에서 패배를 정당화시켜 자신이 승리했다고 생각하는 것이다. 정신승리는 망상 속의 승리일 뿐 진짜 이긴 게 아니다. 다만 중국 속담에 '사람이 경지에 이르러 철면피를 쓰고 부끄러움을 모르게 되면 천하무적이 된다'는 말이 있는데 그 논리대로라면 이길 방법이 없는 싸움에서 정신승리는 유일한 선택지라고 할 수 있다.

정신승리라는 말은 중국 소설가 '루쉰'의 대표작 『아Q정전』의 '정신승리법'에서 유래했다. 아큐는 비렁뱅이지만 자존심이 다칠 때마다 자기를 합리화하여 우월감을 유지했다. 동네 깡패들에게 얻어맞고 나서도 "아들한테 맞은 격이다. 아들뻘 되는 녀석과 싸울 필요가 없으니 나는 패배하지 않은 것이다."와 같은 정신승리법을 구사했다. 루쉰은 아큐정전을 통해 영국, 일본과의 전쟁에 계속 패배하면서도 중화사상에 젖어 자신은 우수하다고 믿는 중국인의 어리석은 정신승리법을 비꼰 것이다.

긍정적인 시각에서 보면 정신승리는 건강에 이롭다고 할 수 있다. 정초에 지갑을 잃어버린다던가 안 좋은 일이 생기면 어른들은 "액땜했다고 쳐라." 같은 덕담을 건넨다. 인생살이에 불행은 필연이므로 미리 안 좋은 일을 앞당겨서 당했다고 여기라는 것이다.

하지만 가장이 빚보증을 서서 집을 날려 놓고 "그래도 사람이 다친 것보다 재물을 잃는 게 낫다."며 뻔뻔하게 자기 실수를 합리화하고 나선다면 도무지 경멸받지 않을 수 없을 것이다.

정신승리는 인터넷상의 키보드 배틀에서 흔하게 볼 수 있는데 논리로 맞서다 안 되면 사소한 트집을 잡아 약 올리는 게 그것이다. 상대는 말려들기 싫어 퇴장해 버리는데 그러면 할 말이 없어서 사라진 것이라며 자신이 이겼다고 우긴다. 만나서 이야기하자고 제안하여 상대가 불응하면 "쫄았나보네!"라며 의기양양해하는 경우도 있다.

내가 정신승리하는 것을 너희가 막지 못했으니 "내가 이겼다!"고 주장하는 메타 정신승리에 이르러 억지는 정점을 찍는다. 이렇듯 정신승리는 표면적으로 자존심을 유지하는 데 유용하다.

함께 읽기 | 루쉰 『아Q정전』

바넘 효과

🔍 보편적 성격을 나만 그렇다고 생각하는 성향

바넘 효과Barnum effect란 누구에게나 적용 가능한 성격적 특징을 자기에게만 해당되는 것처럼 받아들이는 성향이다. 전설적인 흥행사 '피니어스 테일러 바넘'은 서커스장에 모인 사람들을 무작위로 고른 후 그 사람의 성격을 정확히 알아맞히곤 했다. "당신은 다소 차갑다는 평을 듣지만 알고 보면 매우 인정이 많은 분이군요."라던가 "당신은 소극적으로 행동하는 것처럼 보이지만 가슴속은 열정으로 가득 찼군요." 같은 식이다. 도무지 어긋날 수가 없는 과녁이다.

마케팅의 천재인 그는 '모든 사람을 만족하게 할 수 있는 무언가가 있다'고 믿었는데 심지어 "사람들은 기만당하기를 좋아한다."는 말도 했다.

바넘 효과를 포러 효과Forer effect라고도 한다. 심리학자였던 포러는 자신의 수강생들을 대상으로 성격 검사를 실시한 후 결과를 나누어 주면서 자신에게 맞다고 생각하는 정도에 따라 점수를 매기라고 했다. 그랬더니 5점 만점에 4.6점이 나왔다. 다 자신의 얘기처럼 들렸다는 것이다. 사실 학생들에게 나누어 준 검사 결과는 전원이 똑같은 것으로 '당신은 자신에게 비판적인 경향이 있습니다', '외면적으로 당신은 잘 절제되어 있으며 스스로를 통제하고 있습니다만, 그 내면은 걱정스러우며 자신이 없습니다', '당신은 변화와 다양성을 선호하며, 제약이나 규제의 굴레에 둘러싸이는 상황을 싫어합니다'와 같은 것들이었다. 포러가 학생들에게 나누어 준 문구는 점성술 결과에서 수집한 것들이라고 한다.

최근 회자되는 '자기 고양적 편향'은 바넘 효과, 포러 효과에서 한 발 더 나아간 것으로 자신에 대해 긍정적인 특징은 수용하는 반면, 부정적인 태도는 거부하는 성향을 말한다. 결국 모두에게 들어맞는 성격이란 긍정적인 것일 때 해당되는 이야기인 셈이다.

함께 읽기 | 강준만 『흥행의 천재 바넘』

병맛

완벽한 것은 답답해

병맛은 주로 예술 작품이 맥락 없고 형편없음을 뜻하는 신조어이다. 병맛은 '병신 같은 맛'의 줄임말로 원래 인터넷 커뮤니티 '디시 인사이드'에 올라오는 성의 없는 아마추어 웹툰에 대한 조롱의 의미였으나, 어느덧 마이너 취향을 드러내는 대중적인 장르로 자리 잡았다. 특히 완전무결함만 추구하는 답답함에서 벗어나고자 하는 10대, 20대 사이에서 병맛은 지배적인 문화 키워드가 되었다.

일부에서는 '병신'이 장애인 혐오 표현이기 때문에 '병맛'이라는 단어를 쓰면 안 된다고 주장하지만, 병신病身의 사전적 의미를 보면 (1)신체의 어느 부분이 온전하지 못한 기형이거나 그 기능을 잃어버린 상태. 또는 그런 사람. (2)모자라는 행동을 하는 사람을 낮잡아 이르는 말. (3)어느 부분을 갖추지 못한 물건이라고 되어 있다.

의미적으로 병신이 장애인을 비하하는 데만 사용되는 단어가 아닐뿐더러 '병맛'도 장애인을 비하할 의도로 만들어진 조어가 아니기 때문에 장애인 혐오 잣대를 들이대는 것은 무리라는 주장이 대세다. 병맛의 앞 글자인 '병'자를 따서 다양한 파생형도 등장했는데 병림픽소모성 토론, 병크병맛 크리티컬. 즉 수습이 어려운 심각한 사건가 대표적이다.

예술적인 차원에서, 형식 파괴로 웃음을 준다는 점에선 병맛은 일종의 아방가르드라고 할 수 있다. 해외 아방가르드 코미디를 보면 내용적으로 병맛이나 다름없다. 만화 '일상'으로 알려진 일본 만화가 '아라이 케이이치'의 경우 한국에는 병맛 작가로 알려져 있지만 해외에선 아방가르드 작가로 통한다. 다만 병맛은 내용상 막장으로 치닫는 경향이 있기 때문에 안정된 퀄리티를 유지하는 게 관건이다.

병맛의 개념을 가장 많이 차용하는 장르는 역시나 웹툰이다. 병맛 만화는 대충 그린 듯한 작화, 비상식적인 구성, 비정상적인 스토리텔링이 특징으로 작가 잉위, 탁탁탁하다오줌싼놈, 엉덩국은 이 바닥의 전설이라고 할 수 있다. 그 밖에 이말년, 조석, 귀귀 등이 병맛을 주제로 잡아 성공한 작가들이다.

역사는 승자의 기록이다

역사문명

선사 시대

호랑이 담배 피던 시절?

선사 시대는 문자 기록이 남아 있지 않은 시대, 아주 먼 옛날을 지칭한다. 한편 문자 기록이 남아 있는 시대를 역사 시대라고 한다. 지역마다 문자를 사용한 시기가 다른 데다, 문자 기록은 없더라도 수학적 계산이 바탕이 된 건축물을 남겼기에 칼로 자르듯 선사 시대와 역사 시대를 구분 짓기는 어렵다. 그러나 일반적으로 선사 시대라고 하면 구석기 시대, 신석기 시대, 청동기 시대를 가리킨다. 이러한 구분은 '도구'를 중심에 둔 분류이며, 전적으로 고고학의 영역이다.

모든 사라지는 것들은 흔적을 남긴다. 구석기 시대 사람들은 뗀석기를 흔적으로 남겼다. 구석기 시대는 대략 기원전 250만 년경부터 1~2만 년 전까지로 잡는다. 호모 사피엔스가 등장한 시기가 기원전 20만 년경이므로 그보다 훨씬 전, 호모 하빌리스능력 있는 사람부터 시작된 시대이다. 호모 하빌리스는 도구를 사용했을 뿐만 아니라 매장 풍습이 있었고 음악, 미술과 같은 예술 활동을 시작했다.

인류의 조상으로 알려진 오스트랄로피테쿠스는 유인원과 인류의 중간 형태의 사람인데 두 발로 걸을 수는 있었지만 도구를 사용했다는 기록은 없어 구석기 인류에 포함시키지 않는다. 오스트랄로피테쿠스의 활동 시기는 기원전 500만 년 전부터 50만 년 전 사이로 추정하고 있다.

신석기 시대는 간석기가 널리 쓰인 시대로 대략 기원전 1만 년부터 기원전 4,000년경까지로 잡는다. 농업 혁명이 시작된 시기이기도 해서 인류는 동굴 생활을 청산하고 마을을 이루어 정착했다. 농경, 목축 생활이 시작됐고 도기를 제작해 사용했다. 문자가 생겨난 시기이면서 문명이 출현한 시기이다.

청동기 시대는 지역마다 다르지만 대체로 기원전 4,000년부터 시작된 것으로 본다. 이 시기는 성경의 천지 창조 시기와 정확하게 일치한다. 성경에는 아담이 신에게 불복종한 벌로 땅을 경작해 먹고 살게 되었다고 나온다.

청동기를 만들기 위해서는 광산에서 구리나 주석을 캐는 기술이 있어야 했고, 불을 이용해 금속을 제련하는 기술이 있어야 했다. 즉 청동기는 직업의 다양화가 일어난 시기이다. 청동기를 확보하면서 농업 생산물의 증가세도 가팔라졌는데 이를 지키기 위해 군대도 조직하게 되었다. 청동기 시대에 그리스 로마 신화, 일리아드와 같은 이야기가 탄생해 '영웅의 시대'라고도 불린다.

역사문명 2

역사 시대

🔍 글자로 기록된 시대

역사 시대는 문헌상의 기록이 존재하는 시대이다. 문자는 신석기 시대에서 철기 시대에 이르는 동안 생겨났지만 역사를 문자로 기록하게 된 것은 고대에 이르러서다. 역사 시대는 크게 고대, 중세, 근세, 근현대로 분류된다.

한편 마르크스는 선사 시대와 역사 시대라는 도구상의 구분을 따르지 않고 생산 양식의 발전에 따라 역사를 구분했다. 원시 공산 사회, 고대 노예제, 중세 봉건제, 근대 자본주의 사회가 그것이다. 참고로 채사장의 책 『지적 대화를 위한 넓고 얕은 지식 1』은 마르크스의 역사관에 의거해 역사를 기술하고 있다.

유럽 역사에서 고대古代는 고대 올림픽 경기가 열린 기원전 776년부터 밀라노 칙령이 선포된 서기 313년까지로 잡는 것이 일반적이다.

한국사에서는 고조선의 마지막 왕조인 '위만 조선'부터 신라가 삼국 통일을 이룬 후인 후삼국 시대까지를 고대로 본다. 이렇게 셈하면 우리나라는 기원전 194년부터 서기 936년까지가 고대에 해당된다. 북한도 남한 학계와 의견이 비슷하다. 마르크스 유물사관에 입각해 삼국 통일 이전 시대를 고대 노예제 사회로 규정한다.

중세中世는 유럽 역사에서 서로마 제국이 멸망한 직후인 서기 476년부터 르네상스가 일어났던 15세기까지이며, 근세近世는 르네상스부터 근대 이전까지를, 근대近代는 영국 산업 혁명 이후부터 20세기 제1차 세계 대전이 일어나기까지를 가리킨다. 그 이후부터 지금까지는 현대이다.

우리나라의 경우 중세는 고려 시대918~1392로, 근세는 조선이 건국된 1392년부터 흥선대원군이 정권을 잡은 1863년까지로 보는 것이 보통이다. 한편 근대는 대한민국 임시 정부가 수립된 1919년까지로 잡는다.

한편 역사history의 어원이 'his story'라는 주장은 사실이 아니다. 불어로도 '역사'는 히스뚜아histoire이다. 영단어 'his'에 해당되는 불어가 'son'이나 'sa'이므로 이러한 주장은 타당하지 않다. history는 고대 희랍어 히스토리아ιστορία에서 왔다. 라틴어로 진실을 탐구하다historia라는 뜻이다.

사적유물론

Q 모두가 잘사는 세상은 가능한가

사적유물론historical Materialism이란 '인류 역사는 물질적 생산양식에 따라 발전해 왔다'는 역사 이론으로 마르크스 이론의 핵심을 이룬다. 구체적으로 인류는 원시적 공산주의, 고대 노예제, 중세 봉건제, 근대 자본주의를 거쳐 궁극적으로 공산주의에 이르게 된다는 내용을 담고 있다.

사적 유물론의 토대를 이루는 것이 변증법적 유물론이다. 변증법적 유물론은 헤겔의 관념론적 변증법을 인본주의 차원에서 계승한 것으로 물질을 부동의 존재가 아닌 정, 반, 합이라는 계기를 통해 끊임없이 변화하는 존재로 인식한다. 이러한 관점에서 볼 때 인간의 의식, 정신, 이성은 머릿속에서 변화된 물질의 한 종류일 뿐이다.

마르크스의 이러한 주장은 인류 문화의 근간에 경제적이고 사회적인 관계가 놓여 있다는 것을 의미한다. 인간은 경제와 경제적 행위에 의해 사회화되고 그것에 의해서 일정한 사회 계급의 성원으로 행동하게 된다는 것이다.

그에 의하면 역사의 발전 과정에는 혁명적인 생산 양식의 출현이 뒤따르는데 그때 생산 수단을 점유한 사람과 그렇지 못한 사람 사이에 계급적 갈등이 발생하게 된다. 자본가는 이윤 추구를 위해 노동자를 착취하므로 둘 사이에 갈등과 분쟁이 생긴다는 것이다. 이것을 계급 투쟁이라고 한다. 카를 마르크스와 프리드리히 엥겔스는 저서 『공산당 선언』에서 '인간의 모든 역사는 계급 투쟁의 역사'라고 했다. 계급 투쟁은 자본주의에 이르러 극에 달하고 필연적으로 이런 사회적 모순을 영구히 제거할 수 있는 사회가 출현하게 된다. 이것이 공산 사회라는 것이다.

함께 읽기 | 카를 마르크스, 프리드리히 엥겔스 『공산당 선언』

종말론

🔍 우리 안의 두려움

종말론은 세상에 끝이 있다는 이론이다. '역사'를 두고 역사는
발전한다, 아니다 하는 논쟁이 끊임없이 이어져 왔지만 역사는
종말을 지향한다는 주장도 만만치 않다.

특히 기독교에서 종말론은 매우 중요한 교리로, 기독교인의
신앙 고백인 '사도 신경'에서도 찾아볼 수 있다. '하나님 우편에 앉
아 있던 예수가 그곳으로부터 산 자와 죽은 자를 심판하러 오시
리라'는 대목이 그것이다.

새 하늘과 새 땅지상 천국이 열리려면 그리스도가 재림하여 최후
의 심판을 해야 하므로 기독교에서 종말은 필연적인 것이 된다.
예배 전에 이 믿음을 입으로 고백하는 것은 신자의 의무이다.

'요한 계시록'에 보면 그리스도는 대천사의 외침과 나팔 소리
와 함께 재림하는데 이때 세상은 불의 심판을 받아 멸망하게 된
다. 그리고 죽은 사람들은 악인, 의인 할 것 없이 모두 부활하여
심판을 받는다. 이때 악인불신자은 지옥 불구덩이에 떨어져 영원
히 고통 받고, 의인믿는 자은 하나님 나라에서 영원한 삶을 누리게

된다는 것이 종말론의 핵심이다.

세상이 끝난다는 두려움은 우리 안의 깊은 무의식이어서 때만 되면 종말론이 고개를 들곤 했다. 대표적으로 기독교 다미선교회의 시한부 종말론자들은 1992년 10월 28일을 그날로 예언했고, 프랑스의 예언가 노스트라다무스1503~1566는 1999년을 지구 멸망의 날로 꼽았다.

종말론은 2012년에 이르러 다시 한 번 고개를 드는데 인터넷 문화를 타고 네티즌 사이에 급격하게 번지면서 실제로 백두 대간으로 몸을 피하는 사람들이 여럿 있었다. 멸망의 원인도 다양해서 지구가 행성 엑스x와 충돌한다거나, 초강력 태양 폭풍이 발생한다거나, 수마트라의 토바호 화산이 폭발할 것이라는 등의 예측이 분분했다. 그 외의 종말론으로 2032년 화성 충돌설과, 2060년 뉴턴 종말론뉴턴 예언에 따른 등 몇 개가 더 남아 있다.

호모 사피엔스

🔍   상상의 질서로 세상을 지배하다

호모 사피엔스Homo sapiens는 '지혜로운 사람'이라는 뜻으로 분류학상 현존하는 인류를 일컫는다. 학자들은 인류가 단계적 진화를 통해 지금에 이른 게 아니고 호모 에렉투스, 네안데르탈인, 호모 사피엔스가 공존하는 과정에서 호모 사피엔스가 패권을 차지한 것으로 보고 있다.

책 『사피엔스』의 저자 '유발 하라리'는 체격도 왜소하고 두뇌도 그저 그런 사피엔스가 덩치도 크고 머리도 좋은 '네안데르탈인'을 제치고 지구의 패권을 차지할 수 있었던 것은 '유대와 협력' 때문이었다고 주장한다. 이러한 유대와 협력을 가능하게 한 게 '뒷담화와 허구'인데 인류는 7만 년 전부터 뒷담화를 통해 공동체 간 결속을 이루었다는 것이다.

사피엔스가 가진 또 하나의 뛰어난 능력은 허구에 대한 상상력이다. 인류는 집단적 상상인 '신화'를 바탕으로 민족을 이룩했다. 유발 하라리는 이것을 두고 '인지 혁명'이라 불렀다.

이를 뒷받침하는 증거로 원시인의 두개골 화석을 비교한 연구

결과가 있다. 네안데르탈인은 시력을 담당하는 뒷부분이 더 발달해 있는 반면 호모 사피엔스는 두뇌 용량은 작지만 앞부분인 전두엽과 두정엽사회적 관계와 관련이 더 발달해 있다. 호모 사피엔스가 공동체 내의 협력과 의사소통을 통해 큰 집단 체제를 유지할 수 있었던 이유이다.

지금 사피엔스는 인지 혁명, 농업 혁명을 통과해 과학 혁명의 시대를 살아가고 있다. 채팅 앱을 통해 여러 사람이 동시에 의견을 교환하고, 온라인 쇼핑몰을 통해 물건을 구매하며, 아바타를 이용해 가상의 공간에서 제2의 삶을 사는 것은 이전 시대에는 상상하지 못한 일이었다. 유발 하라리는 장차 사피엔스가 신의 영역인 탄생과 죽음까지 관장할지도 모른다고 내다본다.

개인의 부는 생명을 오래 유지하는 데 이용될 것이고, 불평등은 수명 차원으로 확대될 것이다. 그는 여기에 역사를 배워야 하는 이유가 있다고 말한다. 단순히 미래를 예측하는 것을 넘어 우리의 지평을 넓혀야 한다. 평등, 자유, 인권, 종교, 법, 돈, 국가, 자본주의, 사회주의가 상상의 질서에 불과하다는 것, 현재의 상황이 필연적인 것이 아니라는 것을 깨달아야 한다. 개인에 갇히지 말고 인류를 바라봐야 한다. 그래야 우리가 무엇을 해야 할 것인지가 보인다는 게 그의 의견이다.

함께 읽기 | 유발 하라리 『사피엔스』

후추 무역

🔍 후추를 얻는 자, 세계를 얻으리라

후추는 고기의 잡내를 없애는 데 사용되는 흔한 양념이지만 한때 세계를 들었다 놨다 할 정도의 권위가 있었다. 과거 유럽은 요리에 대한 개념이 없었다. 중세 기독교의 금욕주의가 음식을 식량 이상으로 여기지 못하게 했기 때문이다. 이러한 식생활에 변화를 가져온 게 후추였다. 후추를 뿌리면 고기에 풍미가 생겼다. 식량이 요리가 되는 순간이었다. 하지만 후추는 동방의 먼 나라에서 들여와야 했던 귀한 향신료로 귀족만 향유할 수 있던 고가의 사치품이었다.

중동에서 유럽으로 이어지는 향신료 무역을 오래도록 독점해 온 것은 베네치아의 상인이었다. 비교적 수월하던 그들의 사업에 제동이 걸린 것은 1453년 오스만 제국이 콘스탄티노플을 함락하면서부터였다. 오스만 제국은 무역로를 통과하는 후추에 막대한 세금을 부과했다. 가뜩이나 비싼 후추인데 점점 가격이 올라 같은 무게의 금과 동일한 가치를 지니게 되었다.

유럽인들은 '육로 대신 바닷길을 이용하면 인도와 직거래를 할 수 있지 않을까?' 하는 생각을 했고, 크리스토퍼 콜럼버스가 스페인 국왕의 재가를 얻어 1492년 후추를 찾는 항해에 올랐다. 그렇게 해서 찾아낸 것이 아메리카 대륙이었다. 그는 죽을 때까지 아메리카를 인도로 믿었다.

1497년에는 포르투갈의 '바스코 다 가마'가 인도를 찾아 길을 떠났다. 170명의 선원을 태운 4척의 범선이 리스본을 출발했고, 아프리카 희망봉을 돌아 인도 캘리컷 항에 도착했다. 포르투갈이 인도 현지에서 직접 후추를 구매하는 데 성공하자 너도나도 후추 직거래에 뛰어 들었다. 대항해 시대의 막이 오른 것이다.

함께 읽기 | 홍익희 『세상을 바꾼 다섯 가지 상품 이야기』

역사문명 7

대항해 시대

🔍 세계가 본격적으로 연결되다

대항해 시대Age of Discovery란 유럽인이 범선을 이용해 지리상의 발견을 이룩한 시대를 말한다. 시기적으로 포르투갈의 엔리케 왕자가 지브롤터 해협을 건너 아프리카 북단의 '세우타'를 함락한 해1415년부터, 러시아의 세묜 데즈네프가 베링 해를 통과해 '알래스카'를 탐사한 해1648년까지로 잡는다.

이 시기에 북아메리카, 남아메리카, 오세아니아 대륙이 발견됐으며 인도, 동남아시아, 동아시아로 가는 항로가 열렸다. 대항해 시대 전까지 세계는 교류를 이어가는 데 한계가 있었고, 존재하는지조차 모르는 나라도 많았다.

대항해 시대의 포문을 연 나라는 포르투갈이었다. 당시 포르투갈은 변방의 약소 국가로 열강의 힘겨루기에 낄 만한 처지가 못 됐다. 그들의 선택지는 대서양과 아프리카뿐이었다. 그러다가 바스코 다 가마가 아프리카 남단을 도는 후추 항로를 개척하면서 포르투갈은 해상 무역의 패권을 거머쥐게 되었다.

스페인 역시 크리스토퍼 콜럼버스가 유럽과 아메리카를 잇는 항로를 개척하면서 대항해 시대의 주역이 됐다. 대항해 시대의 정점은 16세기 초엽, 스페인의 페르디난드 마젤란이 범선으로 세계 일주를 이루어내던 무렵이라고 할 수 있다.

포르투갈과 스페인이 해상 무역을 통해 막대한 이익을 취하자 영국, 네덜란드, 프랑스가 후발 주자로 뛰어들었다. 이들은 각각 동인도 회사를 차린 후 무역의 거점을 확보하기 위한 경쟁에 들어갔는데 이 경쟁에서 영국이 최종적으로 승리하면서 해상 무역의 패권을 차지하게 되었다. 해가 지지 않는 나라의 전설이 시작된 것이다.

대항해 시대는 여러 측면에서 명암이 엇갈린다. 유럽이 아메리카 대륙을 발견하면서 감자와 옥수수를 들여왔는데 이런 신작물은 유럽인의 식생활을 향상시켜 인구를 폭발적으로 증가시키는 계기가 됐다. 함께 들여온 담배, 면화 역시 유럽 경제 성장의 초석이 되었다. 하지만 강대국이 약소국을 식민지화하여 경제적으로 착취하기 시작한 것도 이 시기이다.

더 이상 지구상에 신항로가 남아 있지 않게 되면서 대항해 시대는 막을 내리게 되었다. 풍요로운 교역의 시대인 대항해 시대가 막을 내리자 본격적인 지배와 착취의 시대인 근대 제국주의 시대가 찾아왔다.

제국주의

Q   약한 나라를 집어 삼키는 강한 나라

　제국주의Imperialism란 강대국이 군사력, 경제력을 앞세워 약소국을 지배하려는 사상을 일컫는다. 대표적으로 로마 제국주의와 근대 제국주의가 있다.

　제국주의의 원형이라 할 수 있는 '로마 제국'은 총 세 단계를 거치며 존속됐다. 첫 번째 시기는 기원전 27년부터 기원후 395년까지로 이 시기를 '팍스 로마나'라 부른다. 율리우스 카이사르가 기초를 다지고 옥타비아누스가 열어젖힌 시대로 422년간 유지되면서 현 미국의 70%에 달하는 영토를 확보했다. 이 시기 세계는 전쟁을 멈추고 문화적으로 큰 발전을 이루었다.

　기독교 공인 후 로마 제국은 서로마와 동로마로 분리되었다. 서로마 제국기원후 395~476은 81년이라는 짧은 기간 동안 존속됐지만 동로마 제국기원후 395~1453은 기독교 권력을 바탕으로 1,058년간 유지됐다. 이 시기를 중세 암흑기라고 부르는 것은 금욕을 앞세운 종교 권력에 의해 다양한 문화를 향유할 수 있는 자유가 억압되었기 때문이다. 유구한 역사를 이어가던 로마 제국은 1453

년, 또 다른 제국인 오스만에 멸망당하면서 완전히 문을 닫았다. 오스만 제국은 600년 가까이 맹위를 떨치다가 제1차 세계 대전을 계기로 역사의 뒤안길로 사라졌다.

'근대 제국주의'는 18세기 이후 자본주의 열강들이 아시아, 아프리카, 태평양 열도를 식민지로 삼으면서 출발했다. 영국에서 시작된 산업 혁명은 19세기 후반에 이르러 독점 자본주의, 금융 자본주의로 변질되었는데, 잉여 자본을 축적한 강대국들은 자원과 시장을 확보하기 위해 약소국을 집어삼키기 시작했다. 대표적인 제국주의 국가로 영국, 프랑스, 독일, 러시아, 미국, 일본을 들 수 있다.

영국은 아프리카 종단 정책을 실시하여 케이프타운과 이집트를 잇는 식민지 라인을 꿈꾸었고, 프랑스는 횡단 정책을 견지하여 알제리와 마다가스카르 섬을 잇는 국가들을 식민지화했다. 뒤를 이어 독일, 이탈리아, 벨기에가 아프리카 식민지 쟁탈전에 뛰어들면서 라이베리아와 에티오피아를 제외한 모든 아프리카 지역이 유럽 열강에 점령되었다.

아시아의 경우 영국은 인도, 프랑스는 인도차이나 반도, 네덜란드는 인도네시아, 미국은 필리핀을 점령했고, 일본은 우리나라를 집어삼킨 후 중국까지 반식민지화했다. 태평양의 섬들은 미국, 영국, 프랑스, 독일에 의해 분할 점령되었다.

이들 강대국들은 약한 나라를 식민지화하는 과정에서 서로 잦은 마찰을 일으켰는데 이 대립이 표면화된 게 1914년에 발발한 제1차 세계 대전이다.

제1차 세계 대전

🔍   제국주의 말기의 개싸움

제1차 세계 대전World War I은 1914년부터 1918년까지 유럽을 무대로 펼쳐진 전쟁이다. 이 전쟁으로 900만 명이 넘는 사람들이 목숨을 잃었다. 이는 발전하는 산업 기술이 대량 살상 무기의 제조를 가능하게 했기 때문인데 1차 세계 대전에 비하면 그전까지의 전쟁은 장난 수준이라고 할 수 있다.

이 전쟁은 1914년 6월 28일 사라예보에서 '오스트리아-헝가리 제국'의 황태자인 프란츠 페르디난트 대공이 세르비아인에게 암살당한 사건이 빌미가 됐다. 이 사건을 핑계로 '오헝 제국'은 7월 28일 세르비아를 침공하고, 긴 세월에 걸쳐 형성된 동맹국이 자기 이해에 따라 양쪽 편에 가담하면서 세계대전으로 확산되었다.

이 거대한 전쟁의 소용돌이의 한쪽 편에는 독일 제국과 오헝 제국을 중심으로 한 '동맹국' 팀이 자리 잡고 있었고, 다른 한쪽 편에는 삼국 협상을 기반으로 한 영국, 프랑스, 러시아의 '연합군' 팀이 존재하고 있었다. 이탈리아는 원래 삼국 동맹국이탈리아, 독일, 오헝이었으나 이를 파기하고 오헝 제국을 침공하는 데 가담했다.

근대 제국주의 말기에는 이처럼 자국의 이해관계에 따라 '동맹'과 '연합'이 재편되기를 반복했는데 나중에는 대륙 건너 일본, 미국이 연합군에 가입했으며, 오스만 제국과 불가리아는 동맹국 편에 가담했다. 결국 총 7천만 명이라는 막대한 인구가 전쟁의 도가니에 휩쓸리게 되었다. '참호전'과 '유보트독일의 잠수함'가 맹활약을 펼친 것도 이 시기이다.

1차 세계 대전은 동맹국의 패망으로 막을 내렸다. 그 결과, 독일 제국, 오스트리아-헝가리 제국, 오스만 제국이 해체되었으며 러시아 제국은 소비에트 연방으로 재정립되었다. 이로써 유럽 지도는 새로운 독립국가를 기반으로 새롭게 그려지게 되었다. 이 같은 끔찍한 전쟁이 되풀이되는 것을 방지하기 위해 국제 연맹이 탄생했으나 국제 연맹도 제2차 세계 대전이 발발하는 것을 막지는 못했다.

제2차 세계 대전

Q   7천만 명을 학살한 역사상 가장 큰 전쟁

제2차 세계 대전World War II은 1939년부터 1945년까지 치러진 전쟁으로 7천만 명에 가까운 인구가 희생되면서 인류 역사상 가장 파괴적인 전쟁으로 기록되었다. 특히 민간인의 희생이 컸는데 일본이 중국에서 난징 대학살로 35만 명을 학살했고, 나치 독일은 '인종 청소'라는 이름으로 총 1,100만 명을 학살했다.

미국은 1945년 3월 10일 도쿄 대공습을 감행해 8만 명을 살상했고, 같은 해 8월에 히로시마와 나가사키에 원자 폭탄을 투하해 20만 명을 추가로 살상했다. 이어 런던 대공습을 통해 4만여 명, 독일 드레스덴 폭격을 통해 3만여 명, 뮌헨 공습으로 3만여 명을 살상했다.

전쟁의 서막이 오른 것은 1939년 9월 1일 새벽 4시 45분 나치 독일군이 폴란드의 서쪽 국경을 침공하면서였다. 당시 독일은 자존심이 구겨질 대로 구겨진 상황이었다. 제1차 세계 대전에 패한 결과로 베르사유 조약이 체결되었는데 조약에 따라 본토 13%와 모든 식민지를 내놓아야 했고 1,320억 마르크라는 막대한 전쟁

배상금까지 물어야 했다. 독일의 징병 제도는 강제로 폐지됐고, 병력은 축소됐다.

이런 와중에 노이오르드눙Neuordnung, 신질서을 내건 아돌프 히틀러가 1933년 독일 수상에 임명되었다. 신질서란 가장 순수한 피를 가진 아리아 민족이 유럽의 지배자가 되어야 한다는 것으로 나치 독일의 세계 정복 계획을 뜻한다. 어떻게 독일 국민이 이런 나치에 동조했을까 싶지만 협상국의 가혹한 조약으로 인해 불만에 가득 차 있던 독일 국민으로선 나치 동조만이 독일의 영광을 되찾는 방법이라고 생각했던 것이다.

1940년 9월 27일 나치 독일은 이탈리아, 일본과 군사 동맹을 맺고 제2차 세계 대전의 추축국으로 나섰다. 이에 맞서 연합군이 결성됐는데 연합국 빅4로 영국 연방, 미국, 소련, 중국을 꼽을 수 있다. 그 외에 프랑스, 폴란드, 오스트레일리아, 뉴질랜드, 캐나다, 남아프리카 연방, 벨기에, 브라질, 체코슬로바키아, 에티오피아, 그리스, 인도, 멕시코, 네덜란드, 노르웨이, 유고슬라비아가 연합국에 가담했다. 이상의 나라들은 1942년 1월 1일, 연합국 선언에 합의하는데 이는 유엔 헌장의 기초가 되었다.

제2차 세계 대전은 진주만 공습1941, 스탈린그라드 전투1942년, 미드웨이 해전1942, 과다카날 전투1942, 노르망디 상륙작전1944이라는 역사적인 전투 기록을 남긴 끝에 1945년 5월 7일, 독일 국방군 최고 사령관 알프레트 요들이 항복 문서에 서명하면서 유럽에서 먼저 종식됐다.

전쟁이 최후로 종식된 것은 1945년 8월 미국이 일본 히로시마와 나가사키에 원자폭탄을 투하한 이후이다. 그리고 8월 15일, 일본은 무조건 항복을 선언했다. 공식적인 전쟁 폐막일은 일본이 항복 문서에 서명한 9월 2일. 2차 대전의 결과, 우리나라를 포함해 일본의 식민지로 남아 있던 동아시아 지역들이 모두 독립했으며 다른 나라의 식민지도 속속 독립을 달성했다.

홀로코스트

Q 나치 독일의 민간인 학살

　홀로코스트Holocaust는 본래 그리스어로 번제holókauston를 뜻하지만 현재는 나치 독일의 민간인 학살을 가리키는 단어로 자리 잡았다. 번제는 짐승을 불태워 제물로 바치는 종교 의식 중 하나이다.

　제2차 세계 대전 중 나치 독일은 점령지 내의 유태인, 슬라브족, 롬인집시, 동성애자, 장애인, 정치범 등 약 1100만 명의 민간인을 학살했다. 그중에 유태인만 600만 명이 목숨을 잃었다. 당시 유럽에 거주하던 유태인이 900만 명이었으니 전체의 3분의 2가 학살로 인해 멸절된 것이다. 600만 명 중 비율적으로 어린이 100만 명, 여자 200만 명, 남자 약 300만 명이 살해됐다.

　나치는 1935년 뉘른베르크법을 제정하며 유태인을 사회에서 배척하기 시작했다. 뉘른베르크법이란 국가 사회주의 독일 노동자당 정권이 제정한 반유대인 법으로 '독일인의 피와 명예를 지키기 위한 법률'과 '국가시민법'의 통칭이다.

　이 법률로 인해 유태인은 게토ghetto라고 하는 통제 구역에 집단 수용되었는데 이 시기에 추위와 굶주림을 이기지 못해 상당수가 아사했다. 살아남은 사람은 화물 열차에 실려 아우슈비츠로 보내졌다.

아우슈비츠 비르케나우Auschwitz Birkenau는 폴란드의 소도시 오시비엥침Oswiecim에 있는 강제 수용소로 노역과 학살을 목적으로 만들어졌다. 요새를 방불케 하는 벽과 철조망, 서랍처럼 침상을 칸칸이 배열한 막사, 교수대, 가스실, 소각장은 그곳에서 어떤 일이 벌어졌는지 말해 주고 있다. 아우슈비츠 수용소에 있던 1500만 명의 수용자 가운데 상당수가 강제 노역과 고문, 굶주림 끝에 사망했다.

수용자를 살해하는 데는 '치클론 B'라 불리는 독가스가 이용됐다. 나치는 유태인을 살상하기 전 치클론B의 성능을 실험하기 위해 소련군 포로 650명과 폴란드인 250명을 아우슈비츠 지하의 블록11에 몰아넣고 이것을 살포했다. 치클론B의 주성분은 사이안화수소청산가스로 원래는 살충제 용도로 개발된 약품이었다.

치클론 B 실험이 성공을 거두자 곧 유대인을 집단으로 처형하는 데 이용됐다. 이마저도 아낀다고 정량보다 덜 넣어 사람들은 채 죽지 못한 상태에서 화장터로 끌려갔다. 독가스가 살포되는 방을 '샤워실'이라고 불렀는데 사람들은 불에 타 죽느니 차라리 샤워실에서 생을 마치기를 원했다.

1945년 독일 패망의 날이 닥치자 나치는 증거 인멸을 위해 아우슈비츠 수용소를 불태우려 했으나 소기의 목적을 달성하지 못했다.

유네스코는 이 땅에 이런 비극이 다시는 일어나지 않도록 폴란드 오시비엥침의 아우슈비츠를 세계 유산에 등재했다.

함께 읽기 | 프리모 레비 『이것이 인간인가』, 아트 슈피겔만 『쥐』

난징 대학살

Q 스포츠 경기처럼 치러진 학살극

난징 대학살Nanjing Massacre이란 중일 전쟁1937~1945 초기에 일본군이 중국의 수도였던 난징南京을 점령한 후 중국인을 무차별적으로 학살한 사건을 일컫는다. 이때 희생된 사람의 수를 35만 명으로 추정하는데, 많게는 100만 명까지 잡기도 한다. 학살이 전개된 기간은 1937년 12월 13일부터 1938년 2월까지 6주간이다. 그리고 1939년 4월에는 '1644부대'가 중국인을 대상으로 생체 실험에 들어갔다.

사건은 중일 전쟁을 일으킨 일본이 중국 대륙의 도시를 하나하나 점령하던 중에 발생했다. 중국은 전쟁 준비를 거의 하지 못한 상태였기에 일본군의 전진은 순조로웠다. 그러다가 상하이에 이르러 일본군은 국민당 정예 부대의 강한 저항을 받고 주춤하는데 간신히 전투에서 이기기는 했지만 약이 오를 대로 오른 상태였으므로 본때를 보여주기로 한다. 그것이 현실로 나타난 게 난징에서 무차별적으로 저지른 민간인 살육이다. 일본인은 스포츠 경기를 하듯 '누가 더 많이 죽이나'에 골몰했다. 여성들은 무자비하게 선강후살강간한 뒤 살해하는 것 당했다.

전쟁이 끝난 후 주범들은 전범 재판에 회부되어 사형대에 올랐는데 천황의 가족만은 면책 특권을 받았다. 루스 베네딕트는 저서 『국화와 칼』에서 전시 중 일본인의 잔인성에 대해 분석했다. 일본군 최고의 가치는 천황에 대한 충성심이다. 일본군은 천황을 제외한 모든 사람의 목숨은 가치 없는 것으로 교육받는다. 그것이 일본군의 도덕 관념이었다.

독일 국민이 독일의 영광을 위해 나치에 동조했다면, 일본군은 천황을 위해 그가 명령하는 전투를 치뤘다고 할 수 있다.

난징 대학살을 이야기할 때 많이 언급되는 '난징 안전지대'는 독일 나치 당원이자 지멘스 사의 난징 주재원이었던 욘 라베가 자신의 자택과 대사관 일대에 일본군이 들어올 수 없도록 특별구역을 설치한 것을 일컫는다. 중국인들은 난징 안전지대에 머무르며 음식과 숙소를 제공받았다. 일본군은 중국인은 마음껏 도륙하면서 서양인에게는 한없이 약했기 때문에 난징 안전지대를 건드리지 못했다. 덕분에 20만 명이 넘는 사람이 생명을 건질 수 있었다.

2차 세계 대전이 끝난 후 일본 우파는 우리나라의 위안부 문제와 마찬가지로 '난징 대학살'은 없었으며 모든 것이 날조라고 주장하고 있다.

역사문명 13

드레스덴 폭격

🔍 전쟁이 파괴한 것들

드레스덴 폭격Bombing of Dresden은 독일의 유서 깊은 도시 '드레스덴'을 미-영 연합군이 무차별적으로 폭격해 잿더미로 만든 사건이다. 2차 세계 대전 막바지인 1945년 2월 13일에서 15일 사이 연합군은 드레스덴의 철도, 다리, 공장 시설을 파괴한다는 명분 아래 1,249대의 폭격기를 이용해 3,900톤이 넘는 폭탄, 소이탄불태우기 위한 탄환류을 퍼부었다. 드레스덴의 상징 프라우엔 키르헤 Frauen Kirche, 성모 성당, 츠빙거 궁전Zwinger Palace, 가톨릭 궁정 교회 Katholische Hofkirche 등 유서 깊은 건축물이 반파 내지 완파되었고 사망자만 3만 명에 달했다.

종전과 동시에 드레스덴이 속한 작센 주는 공산 치하에 들어 갔는데 동독 정부는 비용 문제로 도시를 폐허 상태로 방치했다. 도시가 제 모습을 찾은 것은 통일 이후인데 2005년에 되어서야 복구가 완료됐다. 불에 그슬린 돌 하나하나를 다 모아 꼼꼼히 복구한 모습에 사람들은 감동의 눈물을 흘렸다. 병 주고 약 주는 꼴이지만 영국도 사과의 뜻으로 600만 파운드약 90억 원의 기금을 모금해 드레스덴 재건에 힘을 보탰다. 드레스덴 폭격은 전쟁의 윤리성에 경종을 울리는 계기가 되었다.

드레스덴 폭격 당시 그곳에는 미군 포로들이 상당수 억류되어 있었는데 그중 한 명이 미국의 소설가 커트 보네커트였다. 그는 무사히 살아남아 당시의 상황을 소설 『제5도살장』에 남겼다.

드레스덴은 뉘른베르크, 뮌헨과 함께 독일의 3대 크리스마스 마켓으로 꼽힌다. 크리스마스 기간에는 마을 전체가 축제장으로 변하는데 헤른후트 별크리스마스 별, 슈빕보겐나무 촛대, 렙쿠헨생강빵, 슈톨렌크리스마스 케이크을 구경하고 맛보기 위해 전 세계 사람들이 드레스덴으로 모여든다.

러시아 혁명

러시아 혁명The Russian Revolution은 1917년 2월과 10월에 러시아에서 일어난 세계 최초의 사회주의 혁명이다. 이 혁명을 통해 로마노프 왕조가 무너지고 사회주의 국가인 소련 정권이 수립되었다.

이 혁명 이전에 1차 혁명으로 불리는 '1905년 러시아 혁명'이 있었다. 2월 혁명은 2차 혁명인 셈이다. 1861년 알렉산드르 2세는 자본주의를 정착시키기 위해 '농노 해방'을 단행했다. 농노제가 폐지되자 농민은 자유를 얻게 되었지만 농사를 지을 땅까지 얻은 것은 아니었다. 할 수 없이 농민은 노동자 신분이 되어 지주 밑으로 들어갔는데 봉급쟁이의 삶은 농노의 삶보다 못했다.

그러던 차에 1904년 러일 전쟁이 발발했다. 제국의 백성으로서 자부심이 강했던 러시아 민중은 러시아가 일본에 패하자 정부에 이만저만 실망한 게 아니었다. 1905년 1월 22일, 민중은 상트페테르부르크 겨울 궁전 앞에서 행진을 시작했다. 차르황제 '니콜라이 2세'의 초상화와 기독교 성화, 노동자의 요구를 적은 청원서를 손에 들고 비폭력 시위를 벌인 것이다. 주동자는 러시아 정교회 사제인 게오르기 가폰 신부였다.

차르가 민중의 소리를 외면하는 사이, 실권자였던 그리고리 라스푸틴이 멋대로 발포 명령을 내리는 일이 벌어졌다. 500여 명이 그 자리에서 숨졌고 다친 사람은 수천 명에 이르렀다. 이날을 '피의 일요일'이라 부른다. 그때까지만 해도 차르는 민중의 아버지였다. 아버지가 자식에게 총부리를 겨눈 사태에 큰 충격을 받은 민중은 피의 일요일 시점부터 1907년 7월 16일까지 2년 4개월 동안 저항 운동에 뛰어들었다. 이것이 1차 혁명인 '1905년 러시아 혁명'이다.

그럭저럭 혁명의 기운이 잦아드나 싶은 찰나 1914년 제1차 세계 대전이 발발했다. 차르는 내부적 불만을 진정시키기 위해 병력을 모집했는데 애국심에 고취된 민중 1500만 명이 자원했다. 하지만 전쟁으로 민중고는 가중되었고 '1917년 러시아 혁명'2월 혁명, 10월 혁명의 활시위가 당겨지게 되었다. 민중들은 생존권을 쟁취하고자 1917년 3월 8일구력 2월 23일 페트로그라드에 집결했다. 빵과 우유를 요구하는 여성과 노동자의 수가 8만 명을 넘어서자 차르의 발포 명령이 떨어졌다.

총에 맞아 죽으면서도 노동자들은 물러서지 않았다. '자유를, 시민의 행복을, 조국 러시아의 부흥을' 구호가 하늘에 울려 퍼졌다. 군대까지 노동자의 편에 서자 니콜라이 2세는 동생 미하일에게 황위를 넘겨주었다. 하지만 미하일마저도 혁명으로 폐위되고, 제정 러시아는 붕괴를 맞이했다.

차르 체제는 붕괴됐지만 혁명은 완성되지 않았다. 부르주아와 사회주의자의 연합 정권인 케렌스키 임시 정부 역시 민중의 배고픔을 해결하지 못했던 것이다. 새로운 정부가 지지 기반을 잃어버린 사이 1917년 11월 7일구력 10월 25일 오전 10시, 레닌·트로츠키가 이끄는 볼셰비키 군사 혁명 위원회가 공화국 정부를 급습하여 소비에트 정권을 수립했다. 이것이 10월 혁명으로 불리는 '볼셰비키 혁명'이다. 볼셰비키 혁명은 마르크스주의에 기반한 사회주의 혁명으로 민중이 주체가 된 혁명이었다.

10월 혁명이 끝나자 황제를 신봉하는 백군과, 혁명을 지지하는 적군 사이에 러시아 내전1917~ 1922이 발발하고, 적군이 승리하면서 1922년 최초로 공산주의 국가인 소련이 탄생하게 되었다. 극좌 세력인 볼셰비키가 주도하는 소비에트노동자, 농민, 인민위원회의 시대가 열린 것이다.

함께 읽기 | 레온 트로츠키 『러시아 혁명사』

베트남 전쟁

🔍 미국의 적은 누구인가

베트남 전쟁Vietnam War은 베트남에서 1955년부터 1975년까지 벌어진 전쟁이다. 분단 상태에 있던 남베트남, 북베트남 사이의 내전이면서, 자본주의 진영과 공산주의 진영이 대립하는 국제전 양상을 띠었다.

20여 년에 걸쳐 치러진 베트남 전쟁 기간 중 미국이 개입한 기간은 총 10년이었다. 미국은 1964년 8월, 통킹만 사건미군 구축함과 북베트남 경비정의 교전을 핑계로 전쟁에 끼어들었다. 이듬해 한국은 미국을 지원하기 위해 베트남월남 파병을 단행했다.

전투는 사이공호치민의 전 이름을 중심으로 베트남 남부에서 주로 치러졌다. 그곳이 부패한 남베트남을 해방시키기 위해 자생적으로 탄생한 반정부 게릴라 조직 '베트콩Viet Cong'의 활동 무대였기 때문이다.

베트콩은 '베트남 공산주의자'의 축약어로 '남베트남 민족 해방 전선'이 정식 명칭이다. 미국은 베트콩을 북베트남월맹의 지령을 받는 하부 조직으로 인식했다. 미국이 베트남전에 사용한 무기는 2차 세계 대전 때보다 많았다고 한다. 명백하게 객관적인 전력이 앞섰음에도 불구하고 미국은 베트콩을 이기지 못했다. 네이팜 탄napalm, 화염 피해를 입히기 위한 소이탄의 일종, 고엽제枯葉劑, 초목을 말라 죽게 하는 제초제를 퍼붓는 데도 한계가 있었고, 미국 내의 반전 운동이 갈수록 치열해지면서 미군은 1973년 파리 협정베트남 평화 협정, 베트남전 종결을 약속한 협정을 기해 베트남에서 완전히 철수해 버렸다.

세계 최고의 대국이 동남아시아의 작은 나라를 이기지 못한 가장 큰 원인은 '북한=공산당' 하는 식으로 베트콩을 공산주의자로만 인식한 탓이 컸다. 베트남 전쟁은 단순한 진영 논리가 아닌, 부패한 남베트남 정부에 대한 국민의 반발에 기초하고 있었다. 미국이 남베트남을 지원하면 할수록 점점 더 많은 사람들이 베트콩에 가담한 이유이다.

베트남 전쟁을 다룬 영화 '플래툰Platoon, 1986'을 보면 반스 중사가 베트남 사람들은 다 베트콩이라고 하면서 민간인을 무차별적으로 살해하는 장면이 나온다. 남베트남 사람들이 지하, 덤불, 아궁이, 배 밑창 등에 베트콩을 숨긴 것도 사실이었고 북베트남 정부가 음으로 양으로 베트콩을 지원한 것도 사실이었다.

미국이 북베트남을 직접적으로 공격하지 못한 것은 그들 뒤에 중국이 버티고 있었기 때문이었다. 한국 전쟁 때 중국의 무지막지한 인해 전술에 크게 놀랐던 미국은 중국을 두려워했다.

미국이 물러나자 북베트남이 남베트남의 수도 '사이공'을 함락하면서 통일 베트남 사회주의 공화국이 설립됐다. 그리고 1992년을 기해 베트남은 도이 머이doi moi, 베트남의 개혁·개방를 단행하여 사회주의와 자본주의를 혼합한 형태의 정책을 채택했다. 애초에 미국이 끼어들지 않아도 될 전쟁이었던 것이다.

역사문명 16

걸프전

🔍 유엔의 평화 유지 기능이 빛을 발하다

걸프전The Gulf War은 1990년 8월 2일부터 1991년 2월 28일까지 이라크와 다국적군 사이에서 벌어진 전쟁이다.

걸프gulf는 땅 안쪽으로 쑥 들어온 바다를 뜻한다. 한자로 만灣 이기 때문에 지역명은 아니다. 전쟁이 펼쳐진 페르시아만은 아라비아반도와 이란 사이에 위치하는데 아라비아만이라고도 부른다. 우리나라의 '동해'처럼 명칭을 놓고 시비가 잦은 곳이기 때문에 그냥 '걸프 전쟁'이라 이름 붙인 것이다. 2003년 발생한 제2차 걸프 전쟁은 별도로 '이라크 전쟁'으로 표기한다.

걸프전은 이라크가 '이란-이라크전1980년~1988년, 이라크의 침공으로 시작된 전쟁'에 패하면서 막대한 빚을 떠안게 된 것이 원인이다. 독일이 가혹한 전쟁 배상금에 반발해 제2차 세계 대전을 일으켰듯이 경제적으로 궁지에 몰린 이라크의 사담 후세인 대통령이 쿠웨이트의 석유 시추 기술이 이라크의 석유를 훔쳐 가고 있다, 쿠웨이트가 석유를 과잉 공급해 유가를 낮추고 있다는 등의 전쟁 명분을 댔다.

이라크 군대가 쿠웨이트의 정유 시설을 파괴하고, 쿠웨이트 시Kuwait City를 점령하자 유엔 안보리국제연합안전보장이사회가 즉각적으로 반응했다. 미국의 조지 부시 대통령은 다국적군을 소집하는 한편, 사우디아라비아에 병력을 배치했다. 미국을 주축으로 영국, 사우디아라비아, 이집트 등 34개국이 전쟁에 가담했다. 제2차 세계 대전 이후 최대 병력의 군사 동맹이 이루어진 것이다. 사우디아라비아는 다국적군의 군사 비용 600억 달러 가운데 360억 달러를 지원했다. 전쟁 준비 기간인 '사막의 방패 작전Operation Desert Shield'이 성공적으로 마무리되자 다국적군은 2단계 작전으로 돌입했다.

1991년 1월 17일 '사막의 폭풍 작전Operation Desert Storm'이 개시됐다. 미 공군이 이라크군의 통신을 방해하면서 공습이 시작됐는데, 이라크의 전투기와 전차는 이때 거의 다 파괴되어 출격조차 하지 못했으며 이라크가 발사한 스커드 미사일은 패트리어트 요격 미사일에 의해 바로 격추됐다. 결국 지상전이 시작된 지 100일 만에 다국적 연합군의 승리로 전쟁은 끝났다.

CNN이 실시간으로 전투 상황을 보도하면서 전 세계인은 게임을 보듯 걸프 전쟁을 관람했다. 이라크는 악의 축, 다국적군은 정의의 사도 같은 광경이 펼쳐진 것이다. 전쟁은 나쁘지만 무력을 무력으로 제압한다는 점에서 '유엔의 평화 유지 기능'이 살아있다는 것을 보여준 전쟁이었다.

지하드

신의 이름으로!

지하드jihād는 아랍어로 '숭고한 투쟁'을 뜻한다. 원래는 개인적인 신앙 수련까지 포함하는 말이지만 보통 이슬람이 이교도에 대항해 치르는 전쟁을 일컫는다. 흔히 성전聖戰, Holy War으로 해석된다. 지하드는 이슬람 교도들의 성전聖典인 꾸란에 기초하고 있다.

"소동이 없어질 때까지 그리고 종교가 모두 하나님께로 귀일할 때까지 그들과 싸움을 계속하라."꾸란 8:39

지하드는 지하드주의jihadism로 변질되었고, 이슬람을 반대하는 모든 반대 세력에 대한 간단한 해결법이 되었다. 다른 종교로 개종한 민간인을 죽이는 행위는 그들이 종교 세금인 지즈야를 내지 않기 때문이고, 명예 살인과 테러리즘은 '적을 죽인 전사는 천국에서 온갖 부귀영화와 영광을 누리는 것'으로 정당화되는 식이었다.

지하드가 선포되면 세계 각지의 무슬림들이 전장으로 달려가 적과 싸우게 된다. 대표적으로 십자군 전쟁1095~1492을 예로 들 수 있다. 팔레스타인 일대의 지배권을 두고 기독교계와 맞붙게 되자 이슬람 계가 지하드를 선포해 군사를 모았다.

오스만 튀르크의 35대 황제 메흐메트 5세는 제1차 세계 대전 때 공산주의자의 종교 탄압에 맞서야 한다며 칼리프로서 지하드를 선포했고, 터키가 6.25 전쟁에 참가할 때도 같은 이유로 지하드를 선포했다. 소련-아프가니스탄 전쟁1979~1989 때도 지하드가 선포됐는데 반군 세력인 '무자히딘'은 소련이 종교의 자유를 억압한다며 전쟁에 뛰어들었다. 아이러니하게도 당시 서방 자유주의 국가들은 소련군에 대적해 싸우는 이슬람을 전폭 지원했다.

무슬림의 관점에서 보면 알카에다나 탈레반의 테러 행위도 지하드로 포장될 수 있다. 알카에다의 수장이었던 오사마 빈 라덴은 이슬람 인구 15억 명 전원을 이슬람 극단주의자로 만든다면, 전 세계를 이슬람화하는 것은 시간 문제라고 생각했다.

하지만 9.11 테러 등 민간인에 대한 테러가 세계인의 반감을 사면서 무슬림조차 알카에다에 등을 돌리고 말았다. 미국은 테러의 배후를 찾는다는 명분 아래 아프카니스탄 전쟁을 일으켰다. 아프카니스탄에서 탈레반이 축출되던 날 카불의 시민들은 길거리로 쏟아져 나와 환호성을 질렀다. 남자들은 수염을 밀어 버렸고 여자들은 부르카를 벗어던졌다. 금지되었던 음악과 춤도 부활했다. 물은 바다로 흐르게 되어 있다. 이슬람의 지하드는 갈수록 명분을 잃어 가고 있다.

동북공정

중국의 한국 역사 훔치기 프로젝트

    동북공정이란 고구려의 역사를 중국의 역사로 만들어 버리려는 중국 정부의 야심 찬 계획을 말한다. 동북공정의 중심에는 고구려의 영토였던 동북 3성이 자리 잡고 있다. 동북 3성은 맨 위부터 헤이룽장성흑룡강성, 지린성길림성, 랴오닝성요령성 순으로 배치되어 있다.

    '헤이룽장성'은 동북 3성 중 가장 위쪽에 있는 성이다. 헤이룽장성은 시대에 따라 다르게 불렸다. 예맥진, 말갈당, 여진송, 후금명, 만주청였다가 현재 중국의 소속이 됐다. 이 일대에서 처음으로 일어선 국가가 예맥 계통의 부여이고, 부여에서 고구려가 갈라져 나왔다. 고구려의 전성기 때는 러시아의 연해주까지 영토를 확장했는데 중국은 그것마저 자국의 역사 안에 편입시키려 했다. 참고로 안중근 의사가 이토 히로부미를 저격한 만주 하얼빈이 헤이룽장성에 있다.

    '지린성'은 동북 3성 중 중간에 끼어 있다. 기원전부터 668년까지 지린성 대부분의 땅이 고구려에 속해 있었고, 고구려가 멸망한 이후에는 발해가 698년부터 926년까지 이 지역을 통치했다. 발해는 요나라, 금나라 등에게 멸망했는데 동북공정 식으로 우기면 요나라, 금나라도 우리의 역사가 되는 셈이다. 1932년 일제는 그곳에 괴뢰 정부인 만주국을 건설하면서 지린성의 창춘을 수도로 삼았다. 지린성은 80만 재중 동포의 삶의 터전인 중국 최대의 조선족 거주지 '옌볜 조선족 자치주'가 있는 곳이다.

가장 아래쪽에 자리 잡은 '랴오닝성'은 중국의 요동반도, 발해만, 황해라는 천혜의 지형을 바탕으로 유구한 세월을 이어 오며 발전된 문명을 이룩했다. 랴오닝성은 원래부터 고조선의 땅으로 고구려, 발해가 바통을 이어 받아 차례로 지배했다.

2002년에 시작된 동북공정은 공식적으로 2007년에 마무리됐지만 중국은 옌볜 조선족 자치주에 '중국 조선족 애국 시인 윤동주 생가' 표지석을 세우고, 윤동주 시인을 중국인화 하는 등 야욕을 멈추지 않고 있다.

학계에서는 동북공정의 진짜 목적에 대해, 한반도가 통일을 이룩할 경우 동북 3성이 독립을 시도하거나, 한반도에 편입되려는 것을 막기 위한 몸짓으로 분석하고 있다.

함께 읽기 | 최광식 『중국의 고구려사 왜곡』

실크 로드

정복의 길이 문물 교류의 통로가 되다

실크 로드Silk Road, 비단길는 근대적 교통이 발달하기 이전의 동
서 교역로를 가리킨다. 중국의 비단이 로마 제국으로 흘러들어
가면서 이 길에 '비단길'이라는 이름이 붙었다. 비단길을 최초로
개척한 이는 돌궐이라 불리던 터키투르크 민족이다. 호전적인 성
격의 돌궐족은 중국을 침략하기 위해 이 길을 개척했는데 시간이
흘러 동서의 문화가 수출되고 수입되는 통로가 됐다.

실크 로드는 동서를 잇는 한 줄의 육로가 아니라 동서남북으
로 연결된 촘촘한 그물망 형태를 띤다. 동서양을 연결하는 큰 도
로를 간선이라고 하는데 초원길, 오아시스길, 바닷길의 세 개의
길이 중심을 이룬다. 한편, 간선을 중심으로 남북으로 퍼져 나가
는 길을 지선이라고 한다. 마역로, 라마로, 불타로, 메소포타미아
로, 호박로까지 다섯 개의 지선이 있었다. 3대 간선, 5대 지선 외
에 비단길은 실핏줄처럼 가는 수만 갈래의 길로써 대륙 구석구석
을 연결했다.

3대 간선의 하나인 '초원길'은 유라시아 북방의 초원 지대를 동

서로 가른다. 서방의 카스피해, 발트해, 흑해, 아랄해를 지나 동방의 카자흐스탄, 몽골 고비 사막으로 이어지는 길이다. 이 길은 중국의 화북 지방, 한반도로 이어졌다. 초원길을 통해 채색 토기인 '채도'가 서아시아에서 중국으로 전해졌으며 유리도 이 길을 통해 서방에서 중국으로 흘러들어 왔다.

'오아시스길'은 중앙아시아의 사막을 가로지르며 동서로 뻗어 나갔다. 사막에는 수목이 자라는 오아시스가 자리 잡고 있어 문물의 집산지를 이루었다. 파미르 고원을 지나 대월지에 이르는 구역은 비단길 중에서도 심장부로 꼽힌다. 오아시스에 건설된 대표적인 도시로 안서도호부간쑤성 둔황시를 들 수 있다.

'바닷길'을 개척한 것은 전성기의 로마 제국이다. 1세기 중반, 로마의 항해사였던 히파루스Hipalus가 아라비아인들로부터 인도양 계절풍의 비밀을 알아낸 것이 단초가 되었다. 로마인들은 홍해, 인도양으로 이어지는 직항로를 따라서 인도로 반출된 중국 비단을 수입했다.

5대 지선 가운데 '마역로馬易路'는 말을 이용한 무역로라는 의미이다. 초원로의 동쪽 끝인 오르혼 강 유역에서 출발해 중국의 장안, 유주와 연결된다.

'라마로喇嘛路'는 티벳 불교인 라마교가 전승된 길이라 하여 이런 이름이 붙었다. 북쪽 끝 준가리아 분지에서 출발해 티베트의 라사를 거쳐 인도 갠지스 강 어귀까지 이어진다.

'불타로'는 기원전 2000년에 만들어진 길로 인도의 불교가 동방에 전파된 길이다. 동서남북 교통로의 교차점에 자리하고 있어 실크 로드의 중심을 이룬다. 중앙아시아의 카자흐스탄에서 출발해 타슈켄트, 사마르칸드, 아프가니스탄 발흐를 지나 인더스강 유역, 중인도 서해안의 바루가자現 수라트까지 이어진다. 현장 법사도 이 길을 따라 천축인도으로 이동했다.

'메소포타미아로'는 흑해와 카스피해의 중간 지점인 카프카즈 북부에서 출발해 메소포타미아를 관통한 후 페르시아만까지 이르는 길이다. 고대 문명이 전파된 길이다.

'호박로'는 보석의 일종인 호박이 거래되던 무역로로 페니키아 시대에 건설됐다. 발트해에서 출발해 모스크바, 키예프, 콘스탄티노플을 지나 지중해 연안을 따라 이집트 알렉산드리아까지 이어졌다.

드레퓌스 사건

Q 프랑스 시민, 군부의 인권 탄압에 맞서다

   드레퓌스 사건Drefus Affair은 19세기 말 프랑스에서 유대인 장교 알프레드 드레퓌스가 군부의 반유대주의 정서 속에서 억울한 수형 생활을 하게 되자 이를 뒤집으려는 진보 세력과, 고수하려는 보수 세력 간에 있었던 대규모 충돌을 말한다. 자유, 평등, 연대를 모토로 삼아온 프랑스 인의 자존심에 흠집을 낸 사건이면서 오랫동안 인권 탄압의 사례로 인용되었다.

   보불전쟁1871에서 북독일 연방에게 무참히 패배한 프랑스는 전쟁 실패의 원인을 찾는 과정에서 유대 혈통의 장교 드레퓌스를 스파이로 지목했다. 드레퓌스가 스파이라는 유일한 증거는 필적이었다. 1894년 9월, 프랑스 육군 정보국은 프랑스 주재 독일 대사관의 우편함에서 한 장의 편지를 발견하는데 이 편지명세표는 프랑스 육군의 기밀문서였다. 익명의 수신인이 보낸 이 편지에는 총 13개의 단어가 적혀 있었다. 재판관들은 그 중 4개의 단어가 드레퓌스의 필체와 비슷하다는 것을 증거로 그에게 반역죄를 덧씌웠다. 그의 것과 딴판인 필적에 대해서는 '그가 명세서를 쓰면

서 남의 필적을 가장했음을 입증하는 것'이라는 억지 논리를 내세
웠다. 무기 징역을 언도받은 드레퓌스는 1895년 1월 프랑스령 기
아나에 위치한 악마섬île du Diable으로 보내졌다.

그가 죽음과도 같은 수형 생활을 이어간 지 어언 2년, 육군 참
모 본부 정보국의 조르주 피카르 중령이 우연히 당시의 문건을
열람하다가 같은 정보국 방첩대적의 간첩 활동을 막는 부대의 페르디
낭 발진 에스테르하지Ferdinand Walsin Esterházy 소령의 문체가 명세
표와 똑같다는 것을 발견했다.

피카르 중령이 드레퓌스의 무죄를 주장하고 나서자 참모 본부
는 그를 식민지로 전출시키는 한편 에스테르하지를 체포해 놓고
도 몰래 영국으로 도주시켜 버렸다. 이에 여론이 들끓면서 드레
퓌스 유죄파와 무죄파로 갈리며, 내전을 방불케 하는 극렬한 논
쟁이 시작됐다.

유죄파재심 반대파는 왕당파, 군부, 가톨릭, 우익 정치인들이었
고, 재심을 요구하는 무죄파에는 지식인, 법률가, 공화주의자, 진
보주의 정치인이 배치되어 있었다. 당시 프랑스 신문사들은 드레
퓌스에게 불리한 편파 보도를 일삼았는데 진범인 에스테르하지
를 존재하지도 않는 '유대인 국제 비밀 조직'에 대항한 영웅으로
추앙하기에 이르렀다.

이에 보다 못한 작가 에밀 졸라가 1898년 1월 13일 로로르
L'Aurore, 여명 지에 '나는 고발한다'라는 제목으로 대통령에게 보내
는 공개 서한을 실었다. 그는 실명까지 거론하며 군부의 비열성
을 까발렸다. 군부는 에밀 졸라에게 '군법 회의를 중상모략했다'

는 죄목으로 유죄 선고를 내리고, 졸라는 법정에서 "내 편은 오직 하나의 관념, 즉 진실과 정의뿐이다. …… 언젠가 프랑스가 자신의 명예를 구해준 데 대해 나에게 감사할 날이 반드시 올 것."이라는 유명한 진술을 했다.

진실은 승리하는 법. 저간의 날조가 밝혀지면서 군부는 재심 군법 회의를 열기에 이르렀다. 재심에서 군부는 유죄 판결을 완전히 뒤집지는 않고 다만 드레퓌스를 특사로 석방하는 조치만 취했다. 그가 무죄 판결을 받고 명예를 회복한 것은 1906년에 이르러서다. 드레퓌스 사건은 기득권자가 마음만 먹으면 얼마든지 조작극을 펼칠 수 있다는 것과, 설사 그런 상황일지라도 정의의 목소리는 살아 있다는 것을 동시에 보여 주었다.

함께 읽기 | 니홀라스 할라스 『나는 고발한다』

탕평책

🔍 사색당파를 골고루 기용하는 정책

탕평책蕩平策이란 조선 영조가 당쟁의 폐해를 줄이기 위해 사색당파를 골고루 기용한 정책이다. 당쟁은 붕당 간의 정치 투쟁을 말하는데 붕당朋黨은 학문, 정치적 입장에 따라 형성된 집단을 가리킨다. 붕당은 16세기 중엽인 선조 때 동인과 서인 사이의 대립에서 비롯됐다. 동인, 서인 하는 구분은 편의상 그들이 사는 지역을 중심으로 이루어진 것이다. 경복궁을 중심으로 동쪽에 사는 사람들을 동인, 서쪽에 사는 사람들을 서인이라 불렀다.

조선 초기 정치판은 개국 공신인 '훈구파'와 고향에서 후학을 양성하던 '사림파' 두 개의 파벌로 나뉘었는데 대체로 훈구파의 세력이 강성했다. 그러다가 조선 중기인 선조에 접어들면서 사림파가 득세하기 시작했다. 사림파는 대학자인 이황동인과 이이서인를 영수로 하여 동과 서로 나뉘었다. 즉 붕당은 사림 내 학문적 견해 차이가 그 시발점이다.

동인은 다시 남인과 북인으로 갈라지는데 이황의 제자 측을 '남인', 그 외의 사람을 '북인'이라 불렀다. 광해군 시대로 넘어오면서 북인이 실권을 잡게 되지만 모이면 즉 흩어진다고 북인은 다시 대북과 소북으로 나뉘었다. 광해군 밑에서 정권을 획득한 이는 대북이었다.

하지만 인조반정을 통해 서인을 등에 업은 인조가 보위에 오르면서 대북의 시대가 막을 내리게 되었다. 서인은 남인과의 당쟁에서도 승리를 차지하여 권력의 중심을 이루었다. 그러나 서인 역시 노론과 소론으로 분할되어 당쟁의 소용돌이에 휘말렸다.

영조는 왕위에 오르면서 당파 싸움을 뿌리 뽑고자 사색당파를 고루 기용하는 탕평책을 실시했다. 그럼에도 노론의 기세는 여전히 등등했는데 그들은 영조를 세제世弟로 내세우고, 왕으로 옹립한 이들이었다. 이들은 사도세자가 소론과 스스럼없이 어울리는 모습을 보고 분노하여 왕과 세자를 이간질 하는 상소를 빈번하게 올렸다.

노론의 음모가 성공하여 마침내 사도세자는 죽임을 당하고, 붕당에도 지형 변화가 찾아와 동서남북의 시대가 가고 벽파와 시파의 시대가 도래했다. 벽파는 사도세자를 죽음으로 몰아넣은 노론이 중심을 이루었고, 시파는 당색에 관계없이 사도세자를 지지한 이들이 중심이었다. 정조가 왕위에 오르면서 아버지를 죽음에 이르게 한 벽파를 제거하니 이로써 시파가 득세하게 되었다. 사실 시파와 벽파의 대립은 붕당이라 칭하기 어려운 측면이 있다. 사색당파인 동인, 서인, 남인, 북인은 학파의 성격이 짙지만, 시파와 벽파는 정치적 색깔이 다른 것에 불과하기 때문이다.

정조 이후부터는 사실상의 붕당 정치가 막을 내리고 안동 김씨를 주축으로 하는 세도 정치의 시대가 도래했다. 한편 영조 때 탕평채라는 음식이 등장하는데 투명한 청포묵에 동서남북을 뜻하는 색색의 고명을 버무린 것이다. 탕평채는 정치권의 화합을 상징하는 음식이 되었다.

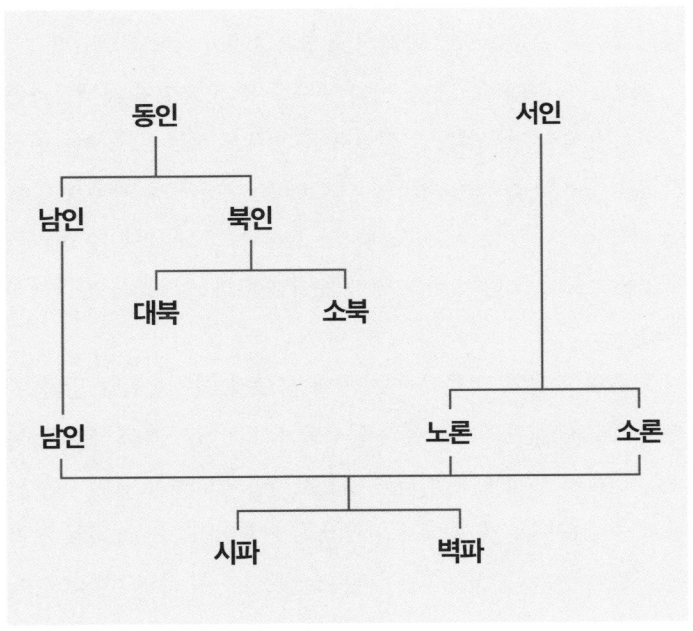

붕당 계보도

역사는 승자의 기록이다

세도 정치

Q 왕의 척족이 나라를 다스리다

    세도 정치勢道 政治는 조선 시대에 왕의 위임을 받은 관료가 정권을 잡고 나라를 다스렸던 것을 말한다. 정조 때까지 동서남북 당파들이 서로를 견제하면서 정계를 이끌어 왔으나 과도한 당쟁으로 인해 자멸하고, 이어 척족이 세력을 틀어쥔 세도 정치의 시대로 접어들었다. 본격적인 세도 정치는 정조 치하 홍국영 1748~1781으로부터 시작됐다는 것이 정설이다.

    홍국영은 정조의 동궁세자궁 시강원왕세자 교육 전담 관청 설서도의와 경서를 가르치던 관직로 재직하면서 세손의 오른쪽 날개右翼라 불릴 만큼 영조, 정조의 신임이 두터웠다. 1776년 승정원 최고 직인 도승지에 임명되었으며 정계에서 물러날 때까지 거의 도승지 직을 내려놓지 않았다. 승정원은 왕의 비서 기관으로 권력의 핵심이라고 할 수 있다. 1778년에는 누이인 원빈 홍씨가 정조의 후궁이 되면서 홍국영의 권력은 정점을 찍었다. 왕의 신임을 한몸에 받으며 온갖 권력을 누린 홍국영이었지만 말로는 비참했다. 가산을 몰수당한 후 횡성현 전리로 좌천되었다가 강릉부로 쫓겨났는데 강릉

부를 마지막으로 34세의 나이에 지병으로 사망했다. 세간에는 지나친 세도를 부리다가 축출된 것으로 알려졌다.

　정조가 승하하고 순조가 11세의 어린 나이로 즉위하면서 외척을 중심으로 본격적인 세도 정치의 시대가 찾아왔다. 순조 초기, 안동 김씨인 김조순이 국구왕의 장인로서 정치를 전담했는데 헌종 때 잠시 풍양 조씨에게 권력이 옮겨 갔다가 철종 때 다시 안동 김씨에게 권력이 돌아갔다. 어떤 세력도 안동 김씨의 힘을 빌리지 않고서는 정치에 참여할 기회가 없었다. 척족이 정권을 농단하자 유교적 관료 정치가 무너지고 삼정이 문란해지는 결과가 초래되었다.

　삼정이란 국가의 재정을 확충하는 제도로 전정田政, 토지세·군정軍政, 군역의 대가로 내는 옷감·환곡還穀, 곡식 대여 제도을 일컫는다. '전정'에서는 삼수미·대동미·결작·도결 등의 폐해가 극에 달했고, '군정'에서는 황구첨정·백골징포·족징·인징 등 각종 편법이 횡행했다. '환곡' 또한 높은 이자로 농민을 착취하는 수단이 되었다. 삼정의 문란은 국가의 재정을 위협했을 뿐만 아니라 농민에게 과중한 부담을 안겨 곳곳에서 민란이 발생하는 원인이 됐다.

조선왕조실록

🔍 472년 조선 왕조를 담은 세계 최고의 역사서

조선왕조실록朝鮮王朝實錄은 태조부터 철종에 이르기까지 25대 472년간의 조선 왕조의 역사적 사실을 연월일 순에 따라 기술한 역사서이다.

『조선왕조실록』은 총 1,894권이라는 방대한 내용을 담고 있는데 기록을 맡은 사관은 왕이 기록하지 말라고 한 말까지 기록했으며, 일종의 논평 격으로 자신의 의견을 적어 넣을 수 있었다. 사관이 이러한 독립성을 가질 수 있었던 것은 왕조차 선왕의 기록을 열람할 수 없도록 비공개 문서로 진행했기 때문이다. 이는 실록 편찬의 공정성을 보장하고, 기록자를 정치적 탄압으로부터 보호하기 위해서였다. 사초를 볼 수 있었던 것은 사관들뿐이었는데 누구라도 함부로 수정했다가는 바로 처형됐다.

왕의 실록은 반드시 해당 왕의 사후에 작성되었다. 편찬될 때마다 여러 부를 인쇄해 춘추관경복궁을 비롯 충주, 전주, 성주 네 개의 사고에 각 1부씩 보관했다. 임진왜란, 병자호란 등의 전쟁 시기에도 실록이 살아남을 수 있었던 데는 이런 이유가 있다.

세간에 연산군이 자신의 사초를 보았다고 알려졌지만 본인의 사초는 미처 쓰이기 전으로 선왕의 사초를, 그마저도 문제가 된 부분만 신하가 베껴 온 것을 읽었다. 당시 사림파이자 사관이었던 김일손은 성종실록을 작성하는 과정에서 난데없이 성종의 할아버지인 세조 때의 일을 들추어 기록했는데 그것도 세조가 아들의 후궁과 불륜을 저지르려 했다는, 확인되지 않은 이야기를 적어 넣었다. 이런 이야기가 사관 사이에 돌자 유자광이 이참에 정적인 사림파를 제거할 목적으로 연산군을 부추겨 사초를 보게 했고, 이로써 1498년연산군 4년 무오사화戊午士禍가 발생했다. 당시 신진 세력인 사림은 하루도 거르지 않고 상소를 올릴 정도로 연산군과 대립 관계에 있었다. 이처럼 왕이 사초를 열람하는 것은 참담한 결과를 불러올 수 있는 일이었다. 연산군 외에 사초를 본 왕은 아무도 없다.

조선왕조실록은 1997년 10월 1일 유네스코 세계 기록 유산에 등록되면서 그 가치를 인정받았다. 영어명은 『Annals of the Joseon Dynasty』. 문화재청에서 밝힌 세계 유산으로서의 가치는 다음의 네 가지였다.

첫째, 조선왕조실록은 정치, 경제, 사회, 문화 그리고 천재지변 등 다방면의 자료를 수록한 종합 사료로써 가치가 높다.

둘째, 일본, 중국, 베트남 등 유교 문화가 퍼진 곳에는 모두 실록이 있지만 편찬된 실록을 후대 왕이 보지 못한다는 원칙을 지킨 나라는 조선 왕조뿐이다. 또한 여타 나라의 실록들은 원본이 소실되어 근현대에 만들어진 사본들이지만 조선왕조실록은 세계에서 유일하게 왕조 시기의 원본이다.

셋째, 조선왕조실록은 기록에 대한 왜곡이나 고의적인 탈락이 없어 어느 나라 실록보다 내용 면에서 충실하다. 권수로 치면 중국의 명조실록이 2900권으로 더 많으나, 실제 지면 수로는 조선왕조실록이 이보다 훨씬 많아 분량 면에서 세계 제일이다.

한편 대한 제국의 고종실록과 순종실록은 조선왕조실록의 범주에 포함되지 않는데 사관이 작성해야 한다는 편찬 규례에 맞지 않을 뿐만 아니라 일본 제국의 관점이 투여된 바가 크다고 판단됐기 때문이다.

북한에서는 조선왕조실록을 조선봉건왕조실록朝鮮封建王朝實錄이라 부른다. 마르크스의 변증법적 역사 구분에 따르면 조선 시대는 봉건제 시대이기 때문이다.

조선왕조실록은 초초初草-중초中草-정초正草 3단계의 수정 과정을 거쳤는데 재밌는 것은 한 왕조에 대한 기록이 끝날 때마다 초초와 중초 때문에 나중에 문제가 생기는 것을 막고자 기록을 물에 씻어서 새 종이로 만들어 버리는 세초洗草를 시행했다. 세초식이 거행되었던 곳이 지금의 서울 세검정이다.

갑오개혁

🔍 단발령으로 좌절된 일제식 개혁

갑오개혁甲午改革은 1894년 갑오년, 일제의 간섭 아래 이루어진 제도적 개혁을 말한다. 갑오개혁의 주요 내용은 노비제를 비롯한 신분제의 폐지, 은본위제, 조세의 금납 통일, 인신매매 금지, 조혼 금지, 과부의 재가 허용, 고문과 연좌법 폐지 등이다.

갑오경장이라고도 하지만 경장更張이 거문고 줄을 새로 바꾼다는 의미라는 점에서 일제의 시각이 반영된 것이라 올바른 명칭은 아니다.

19세기 말엽 조선은 대일 무역 역조수입액이 수출액보다 많음, 대청 무역 역조에 열강들의 각종 이권 침탈로 인해 악화일로惡化—路를 걷고 있었다. 민중은 정부가 국가적 위기에 맞설 만한 능력이 없다고 생각하고 백성 스스로 자립갱생을 도모하고자 동학 농민 전쟁1894을 일으켰다. 동학 농민 전쟁은 부패한 관리와 양반 무리를 끌어내리고 외세를 몰아내기 위한 민중 봉기였다. 이에 동학 농민 전쟁을 진압하기 위해 청나라 군대가 투입되었는데 일제 또한 톈진 조약을 구실로 조선에 파병을 단행했다.

두 나라는 조선의 지배권을 놓고 갑오년에 청일 전쟁을 벌이게 된다. 결과적으로 청일 전쟁은 청나라의 퇴보와 무력함만 드러내며 막을 내렸고, 일본은 노골적으로 조선을 지배하려 들었다. 일제는 기습적으로 왕실을 점령하고, 김홍집 등 개화파 친일 내각을 내세워 갑오개혁을 실시했다.

앞서 조선 정부는 동학 농민군과 맺었던 전주화약1894. 6. 6.에서 교정청이라는 개혁 기구를 신설하여 자주적으로 개혁하려는 모습을 보였다. 하지만 일본은 교정청을 해체하고 군국기무처라는 기구를 신설하여 일본 주도의 개혁을 추진했다.

위기 의식을 느낀 조선 정부는 러시아와 협력하는 것만이 일본을 조선에서 몰아낼 수 있는 방법이라고 생각하고 친러 정권을 수립하기에 이르렀다. 조선이 친러 쪽으로 돌아서자 일본은 주도권을 되찾기 위해 을미사변을 일으켜 명성 황후를 살해했다. 신변의 불안을 느낀 고종은 러시아 공사관으로 몸을 피신하는데 이를 아관 파천1986이라고 한다.

한편 갑오개혁의 연장이라 할 수 있는 을미개혁의 조치로 단발령이 내려지자 을미사변으로 격앙되어 있던 백성의 반일 감정은 고조되었고, 대규모 항일 의병 운동으로까지 번지게 되었다. 결국 갑오개혁의 중심 인물들은 백성들의 손에 살해되거나 일본으로 도주해 버리고 개혁은 실패로 돌아갔다.

가쓰라 태프트 밀약

Q   미국과 일본의 식민지 나누기 게임

가쓰라 태프트 밀약Taft-Katsura secret agreement이란 1905년 7월 29일, 미국 육군 장관 '윌리엄 하워드 태프트'와 일본 제국 내각 총리대신 '가쓰라 다로'가 도쿄에서 아무도 모르게 맺은 조약이다. 이 조약의 결과로 대한 제국은 일본의 식민지가 됐고, 필리핀은 미국의 손에 떨어졌다.

이 비밀 협정이 맺어지기까지의 과정은 이러하다. 대한 제국에 대한 독점적 영향력을 두고 러시아와 일본 사이에 러일 전쟁1904~1905이 벌어졌다. 일제가 쓰시마 해협을 지나 블라디보스토크로 향하던 러시아 제국의 발트 함대를 침몰시켜 승기를 잡자 미국 대통령 시어도어 루스벨트가 일본에 비밀 회담을 요청했다. 미국은 이미 대한 제국이 자치 능력을 상실했다고 보았으며, 일제가 한반도를 지배하는 편이 자국의 이익에 들어맞는다는 생각을 갖고 있었다.

미국이 제안한 각서의 요지는 이러하다. 극동의 평화 유지에 있어 일본, 미국, 영국 삼국 정부의 상호 양해를 달성하는 것이 최선의 길이며, 일본과 친한 미국이 필리핀을 통치하는 것이 일본에 유리하며, 일본 측에서 한국에 대한 보호권을 확립하는 것이 러일 전쟁의 논리적 귀결이자 극동 지역의 평화에 공헌하는 길이다. 이에 일본은 필리핀에 대해 어떠한 침략적 의도도 갖고 있지 않다고 공언했다.

　가쓰라 태프트 밀약이 체결된 지 두 주 만에 제2차 영일 동맹1905년 8월 12일이 맺어졌다. 이어 일제는 포츠머스 조약1905년 9월 5일을 통해 한반도 지역에 대한 지배권을 세계의 열강들로부터 인정받았으며, 그해가 가기 전에 을사조약1905년 11월 17일을 통해 대한제국의 외교권을 빼앗았다.

러시아 원정

🔍 나폴레옹, 60만 대군을 잃고 몰락의 길을 걷다

러시아 원정은 프랑스 황제였던 나폴레옹이 1812년 러시아 제국을 침공하면서 발발한 전쟁이다. 이 전쟁에서 나폴레옹은 60만 대군을 잃고 크게 패하는데 이로써 몰락의 길을 걷게 된다.

나폴레옹은 근대 유럽이 배출한 최고의 군사적 천재로 프랑스 혁명의 혼란한 시대 속에서 유럽 열강들을 굴복시키고 황제 자리에 오른 인물이다. 그가 전쟁사에 남긴 영향은 지대했는데 전술, 전략은 물론이고 훈련, 조직, 군수, 의복, 포상 제도에 이르기까지 군대의 모든 부분을 선진화시켰다. 그가 이끄는 프랑스 육군은 전 세계에서 가장 효율적으로 조직된 군대였다.

승승장구하며 유럽을 먹어 들어가던 그에게도 하나의 골칫거리가 있었으니 바로 영국이었다. 영국은 섬나라라는 지리적 특성에다 막강한 해군력으로 무장하고 있어 천하의 나폴레옹도 어찌할 수가 없었다. 나폴레옹은 영국을 굴복시키려면 경제적 제재밖에 없다고 생각하고 1806년 대륙 봉쇄령을 내리기에 이르렀다. 모든 나라가 영국과의 교역을 끊은 가운데 단 하나, 러시아만 보란 듯 영국과 무역을 이어가고 있었으니 나폴레옹은 화가 머리끝까지 치솟았다.

"나는 이제 모스크바로 출발한다. 한두 번의 전투로 모든 것이 결정될 것이고, 러시아 황제는 내게 무릎을 꿇고 애걸할 것이다."

1812년 6월 24일, 나폴레옹은 유럽 각국에서 소집한 60만 대군을 이끌고 네만강을 건넜다. 6월 말을 출격 시점으로 선택한 것은 모스크바에 도착할 무렵이면 진군하기에 딱 좋은 가을이 되기 때문이었다. 이 시기 유럽은 추수기라서 현지에서 식량을 직접 조달하는 일이 가능해지는 것도 하나의 이유였다.

"병사를 움직이게 하는 것은 위장이다."라는 나폴레옹의 말처럼 식량은 곧 군사력이었다. 하지만 하늘은 나폴레옹의 뜻대로 움직여 주지 않았다. 유럽 대륙에 예상치 못한 폭염이 몰아치면서 전염병이 돌았다. 여기에다 러시아군이 퇴각하면서 마을 내의 식량을 모두 불살라, 나폴레옹은 싸움 한 번 제대로 해 보지 못한 채 많은 군사를 잃어야 했다.

계획보다 늦어진 9월 14일, 나폴레옹은 간신히 러시아 모스크바에 입성했지만 60만 대군이 9만 명으로 줄어들어 있었다. 심지어 모스크바는 텅 빈 상태였고, 항복하러 나와야 할 러시아 황제는 코빼기도 보이지 않았다.

나폴레옹이 입성한 당일 밤, 모스크바 시내에서 화재가 발생했는데 불길은 다음 날 아침까지 이어졌다. 불길이 잦아드나 싶을 무렵 다시 야간에 화재가 발생했다. 불길은 18일까지 계속되어 모스크바에 있는 건물의 70% 이상을 태웠다.

남의 나라 먹으러 왔다 소방관이 되어 버린 나폴레옹. 간신히 화재를 진압한 나폴레옹은 크렘린 궁에 머무르면서 알렉산드르 1세가 협상을 청해 오기만 기다렸다. 하지만 러시아 황제는 감감 무소식이었고 시간만 흘렀다.

러시아에서 겨울을 지낼 준비를 하지 않았던 나폴레옹은 퇴각을 결정할 수밖에 없었다. 러시아군은 이때다, 하면서 철수하는 프랑스군을 뒤쫓았고 남은 병사마저 싹 궤멸시켜 버렸다.

12월 초 간신히 네만강으로 회군했을 때 온전한 군사는 5천 명에 불과했다. 러시아 원정에서 완패하면서 천하의 나폴레옹도 내리막길을 걷게 되었다.

대동여지도

한반도를 그대로 옮긴 7m 지도

대동여지도大東輿地圖는 김정호가 1861년철종 12년에 제작한 한반도의 지도이다. 근대적 측량이 이루어지기 전에 제작된 한반도 지도 중 가장 정확한 것으로 알려져 있다. 대동여지도는 매우 거대해서 목판 121매로 구성된 조각을 모두 합치면 가로 3.6m 세로 6.85m의 대형 지도가 된다. 축적은 약 16만분의 1이고, 목판 한 페이지는 동서 80리, 남북 120리를 포괄한다.

목판은 양면에 판각했기에 약 70장 내외의 목판이 사용된 것으로 추정하고 있다. 인쇄본은 전부 확인됐지만 목판은 일부만 보존되어 내려오고 있다. 지도는 총 22첩으로 나누어 인쇄되었는데 22첩을 펼쳐 이으면 하나의 한반도 지도가 된다.

지도에는 해안선, 섬, 산, 하천, 지방 군현이 실제와 매우 흡사하게 그려져 있다. 각 군현을 잇는 도로에는 10리마다 방점이 찍혀 있어 거리 측정이 가능하다. 도로는 곧고 가느다란 선으로, 하천은 굵은 곡선으로 나타냈다. 하천을 두 줄로 표시한 것은 배가 다닐 수 있다는 뜻이다. 산줄기는 더 굵은 곡선으로 나타냈는데 산세가 클 경우 산봉우리를 그려 표시했다.

각 군현 내에는 군대가 주둔하는 영아경상 좌수영 등, 관아가 있는 읍치영변 철옹성 등, 성의 둘레에 파 놓은 연못인 성지칠곡 가산산성 등, 변경에 있는 군사 기지인 진보동래 근처의 진 등, 교통·통신 기관인 역참삼례역 등, 창고, 목소말 기르던 곳, 봉수온성 미전보 주변의 봉수대 등, 능침선정릉 등, 방리하급 행정 구역 단위, 옛 마을인 고현, 옛 군사 시설인 고진보초지진 등, 고산성古山城, 도로가 표시되어 있는데 적색과 황색으로 가채加彩. 채색하여 구분이 쉽도록 했다. 19세기에 만들어진 축적 90만분의 1의 '대동여지전도'는 이 지도를 축소하여 보급한 것이다. 대동여지도 제1첩에는 경원·온성·종성의 지도 외에 표제, 지도유설지도에 대한 여러 이야기, 통계표, 도리표도로를 정리한 것, 지도표, 오부도한성부 지도가 담겨 있다.

김정호는 대동여지도 외에 '청구도', '동여도'를 제작했는데 청구도는 필사본이었다. 김정호가 대동여지도를 목판본으로 만든 것은 필사할 때 생기는 오류를 막고 대량 생산이 가능하도록 하기 위해서였다. '동여도'는 '대동여지도'를 판각하기에 앞서 제작한 선행 지도이다.

4.19 혁명

🔍 부정 선거로 무너진 제1 공화국

4.19 혁명은 자유당 정권의 부정 선거에 맞서 1960년 4월 19일, 학생과 시민이 들고 일어난 반독재 투쟁이다. 혁명은 3월 15일, 제1 공화국 자유당 정권이 이기붕을 부통령으로 당선시키기 위해 부정 선거를 저지르면서 촉발되었다.

전남 광주에서 시민 1천여 명이 낮 12시 45분부터 금남로에 모여 부정 선거를 규탄하는 데모를 벌이자, 동구 충장로에서도 '민주주의 사망을 애도한다'는 의미로 상복 차림의 가두 행진이 시작됐다. 두 시위대 모두 경찰에 의해 무자비하게 진압되었다.

광주에 이어 오후 3시 30분에는 경남 마산에서 1천여 명의 시민과 학생이 거리로 뛰쳐나와 민주주의 만세를 외쳤다. 이들 역시 경찰에 의해 진압되었다. 그리고 시위에 참가했던 마산 상고 김주열 학생이 실종되는 일이 발생했다.

그는 실종 27일 만인 4월 11일 아침 마산 중앙 부두 앞바다에서 왼쪽 눈에 최루탄이 박힌 채 시신으로 떠올랐다. 부산일보 허종 기자가 이 사진을 보도하면서 국민의 분노가 극에 달하게 되었다. 시위는 자연스럽게 전국적으로 퍼져 나갔다.

4월 19일 경찰은 대통령 관저인 경무대로 몰려드는 시위대를 향해 발포했고, 시위대도 무장하여 경찰과 대치했다. 국민적 저항에 봉착해 장면 부통령이 먼저 사퇴하자 다음 날인 4월 26일 이승만 대통령이 하야를 발표했다. 이승만 대통령은 측근의 도움으로 하와이로 도피하였다.

부정 선거의 당사자인 이기붕과 그 일가는 장남 이강석이 쏜 총에 맞아 몰살당했다. 이강석 자신도 자살했다. 이로써 이승만 자유당 정권은 완전히 몰락했고, 과도 정부를 거쳐 민주당 유보선 후보가 대통령에 당선되면서 6월 15일, 제2 공화국이 출범했다. 서울특별시 강북구 수유동에 4·19 혁명 희생자를 기리는 '국립 4·19 민주 묘지'가 있다.

5·16 군사 정변

🔍 육군사관학교 8기생이 벌인 군사 쿠데타

　5·16 군사 정변은 1961년 5월 16일, 육군 소장 박정희의 지휘로 대한민국 육군 장교들이 일으킨 정변이다. 6월 민주 항쟁 이전까지는 5. 16 군사 혁명으로 불렸다. 박정희는 1961년 2월 강제 예편당한 김종필, 5월 말 강제 예편이 예정되었던 육군사관학교 8기생 장교들과 함께 무능한 민주당 세력을 제거하고, 군정을 수립하기로 하고 이른바 충무장 결의를 가졌다.

　충무장 결의란 서울 퇴계로에 있는 일식집 '충무장'에서 행해진 결사라는 뜻으로 박정희, 김종필 외 오치성, 길재호, 옥창호, 석정선, 신윤창, 석창희, 이택근, 김달훈 등 8기생이 가담했다. 두 달 후 이들은 본격적인 정변 준비를 위해 서울 신당동 소재 박정희 소장 집에 다시 모였다. 이들은 각 방면의 인사를 포섭하기 위한 작전에 들어갔는데 포섭 기준은 능력과 책임감이 있는 사람, 부패한 장군의 심복이 아니었던 사람, 부패한 정치인의 가족이 아닌 사람, 반공 정신이 투철한 사람 등이었다.

　제2 공화국 당시는 의원 내각제여서 헌법상의 국정, 국군 통솔권은 국무총리인 장면에게 있었다. 장면은 쿠데타 모의가 있다는 정보를 이미 들어 알고 있었지만, 정변 세력은 전화와 모임에서 사장, 전무라는 용어를 사용해 사업으로 위장하며 증거를 남기지 않았다. 장면은 막연한 정변설만으로 장성들을 체포할 수 없었다.

1961년 5월 16일 새벽, 드디어 정변 세력은 예비 사단, 포병단, 해병대, 공수 특전단을 동원하여 서울, 대구, 부산 등의 주요 시설을 무력으로 점거한 뒤 육군 참모 총장 장도영과 대통령 윤보선을 회유하여 국무총리 장면을 사퇴시키고, 봉기 60여 시간 만에 대한민국의 전권을 군사 혁명 위원회로 가져왔다. 주한 미군과 주한 미국 대사관의 공식적인 반대 성명에도 불구하고 강행한 일이었다.

그렇게 장면, 윤보선을 주축으로 한 제2 공화국은 출범 9개월 만에 무너졌다. 박정희는 장도영을 의장으로, 자신을 부의장으로 하는 국가 재건 최고 회의를 세워 언론 사전 검열을 실시하고, 정기 간행물 1,200여 종을 모두 폐간시킨 뒤 2년 반가량 군정을 실시했다. 박정희는 '군으로 돌아가겠다'는 약속을 깨고, 직선제를 통해 제5대 대통령 선거에서 민주당 윤보선 후보를 누르고 당선되어 1963년 12월부터 1979년 10월 26일까지 제5·6·7·8·9대 대통령으로 재직했다.

역사문명 30

12·12 군사 반란

🔍 보안 사령관이 육군 참모 총장을 체포하다

　　12·12 군사 반란은 1979년 12월 12일, 전두환을 주축으로 하는 육군 내 사조직 '하나회' 세력이 정승화 육군 참모 총장을 체포하면서 일으킨 군사 쿠데타이다. 당시 보안 사령관 전두환은 합동 수사 본부장으로서 10.26 사건을 수사하는 과정에서, 정승화 총장이 중앙정보부장 김재규의 범행대통령 시해에 묵시적으로 동조했다는 혐의를 뒤집어씌웠다.

　　정승화 총장 체포와 관련해 전두환은, 총장이 자신을 보안 사령관 직에서 내치고 동해안 경비 사령관으로 보직 이동시키려 했다는 사실을 알고 선수를 쳤다는 것이 정설이다. 앞서 전두환은 하나회를 비롯한 동조 세력을 규합해 군부를 장악할 계획을 세운 후 허화평 보안 사령부 비서실장, 허삼수 보안 사령부 인사처장, 이학봉 보안 사령부 수사과장, 장세동 제30경비단장, 김진영 제33경비단장, 황영시 제1군단장, 노태우 제9사단장 등 선후배, 동료 장성들과 거사를 모의했다.

　　12월 12일 오후 6시, 전두환은 최규하 대통령에게 육군 참모 총장 체포안에 대한 재가를 제안했으나 거절당하자 임의로 허삼수, 우경윤을 보내 정승화 총장을 체포하도록 했다. 두 사람은 수도 경비 사령부 33헌병대 50명과 함께 슈퍼살롱 1대, 마이크로버스 1대에 나눠 타고 총장 공관에 진입, 소총으로 총장을 위협했다. 총장 연행과 동시에 전두환은 제 1, 3, 5 공수 특전 여단 병력을 서울로 출동시켰다. 최규하 대통령은 사건 10시간 만인 13일 새벽 5시에 총장 체포에 대해 사후 재가를 내주었다. 12·12 사건 이후 전두환 보안 사령관은 육군 참모 총장에 이희성을 앉히는 등 6인 위원회를 통해 군부의 인사를 조정하고 군의 주도권을 장악했다. 당시 미국은 12·12 사태 직후, 북한의 남침 가능성을 50% 정도로 판단하고, 만일의 사태에 대비했다고 한다. 또한 신군부가 작전 통제권 행사와 관련해 한미 간 합의를 위반한 것에 대해 강력하게 항의했으나 결국 묵인하는 것으로 마무리되었다.

박정희에 이어 다시 군부가 세력을 잡자 그해 5월 중순, 대규모 학생 시위가 벌어졌다. 신군부는 1980년 5월 17일 전국 비상 계엄령을 선포하고 5월 18일에는 이에 항거하는 광주 민중 항쟁에 계엄군을 투입해 무력으로 진압했다. 같은 해 8월, 최규하 대통령은 신군부의 압력으로 사임하고, 전두환 장군은 통일 주체 국민 회의 대의원회에서 제11대 대통령으로 선출되었다. 이후 국보위는 헌법을 개정하여 제5공화국이 출범하게 됐다.

역사문명 31

2021 미얀마 시위

🔍 반복되는 군부 쿠데타, 그 이유는?

2021 미얀마 시위란 2021년 2월 1일 발발한 군부 쿠데타에 대항해 시민들이 들고 일어난 시위를 말한다. 군사 쿠데타를 주도한 '민 아웅 흘라잉' 최고 사령관은 국가 비상사태를 선포하면서 시위대를 무력 진압하였고 이로 인해 불과 두 달 만에 606명의 시민이 사망했다.

미얀마에는 2021 사태를 포함해 역사적으로 세 번의 군부 쿠데타가 있었다. 미얀마의 첫 군사 쿠데타는 1962년 '네윈' 군부가 일으켰다. 네윈 군사 정권이 집권했던 26년 동안 미얀마는 극빈국으로 전락했고 국민의 삶은 피폐해졌다. 시민들은 1970년대부터 반군부 투쟁을 벌였는데 1988년 '8888 민주화 항쟁'에 이르러 투쟁은 정점을 찍었다.

두 번째 군사 쿠데타는 1988년 '소우 마웅' 국방 장관이 반군부 시위대에게 총부리를 겨누면서 발발했다. 시민군은 와해되었고, 미얀마는 다시 암흑 속으로 굴러떨어졌다. 미얀마는 군부 독재에서 벗어나기 위해 끊임없는 투쟁을 벌였는데 이런 노력이 결실을 맺어 2011년 드디어 민간으로 정권이 이양되었다. 그리고 2016 년 아웅산 수치 여사가 국가 고문에 취임하면서 미얀마에도 평화 가 찾아온 듯했다.

그러나 완벽한 평화는 아니었다. 군부는 국회의 25%를 점유하 고, 군 통수권과 경제권을 쥐고 흔들었다. 미얀마 군부는 왜 이다 지도 집요하고 힘이 센 걸까.

여기에는 버마족과 소수 민족 간의 해묵은 갈등이 한 축을 담 당하고 있다. 미얀마는 135개의 민족으로 구성된 다민족 국가이 다. 버마족은 미얀마를 구성하는 최대 민족으로 전체 인구의 68% 를 차지하고 있다. 그 밖에 샨족, 카렌족, 라카인족, 몬족 등이 한 자리 수의 비율을 유지하는 중이다.

군부는 국가적 소란을 막는다는 명분 아래 소수 민족을 탄압 했는데 반무슬림 정책을 빌미로 로힝야 민족을 박해한 사건은 유 명하다. 사실 군부의 소수 민족 탄압 내막을 살펴보면 국민 대다 수를 차지하는 버마족의 표심을 얻기 위한 행동 그 이상도 이하 도 아니었다.

미얀마 사태 이후 버마족 내부에서는 소수 민족에 대한 차별 을 멈추자는 자성의 목소리가 고개를 들고 있다. 반군부 시위에 앞선 것이 '공존'임을 그들은 뒤늦게나마 깨닫고 있는 것이다.

2021 이스라엘-팔레스타인 분쟁

🔍 가나안 땅은 누구의 것인가

2021 이스라엘-팔레스타인 분쟁은 2021년 5월 6일 동예루살 렘의 구시가지인 셰이크 자라에서 팔레스타인인 4가구의 퇴거에 대한 이스라엘 최고 법원의 결정을 두고 팔레스타인인들이 들고 일어나면서 시작됐다.

전쟁이 본격적으로 시작된 것은 5월 10일의 일. 팔레스타인인 이 이스라엘 경찰에 돌을 던지자 경찰은 이슬람의 성소인 '알아 크사 모스크'에 최루탄을 쏘는 것으로 간단하게 갚았다. 자존심 이 상할 대로 상한 하마스_{이슬람 저항 운동 단체}는 최후통첩 끝에 이스 라엘을 향해 로켓포를 발사했고, 이스라엘은 기다렸다는 듯 가자 지구에 공습을 개시했다.

이스라엘의 공습으로 학교, 의료 시설, 고층 빌딩 등 1천여 채 의 건물이 파손되었다. 인명 피해도 심각했는데 66명의 어린이를 포함해 256명의 팔레스타인인이 목숨을 잃었다. 이스라엘에서는 어린이 두 명을 포함해 단 12명이 목숨을 잃었다. 이스라엘의 피 해가 상대적으로 적었던 것은 이스라엘이 군사적으로 우위에 있었기 때문이다. 팔레스타인이 이스라엘을 향해 발사한 4,360발의 로켓 가운데 90% 이상은 아이언 돔로켓 요격 시스템에 의해 격추되었다. 밤하늘, 로켓과 아이언 돔의 충돌은 불꽃놀이를 방불케 했다.

5월 13일, 하마스가 휴전을 제안했지만 이스라엘은 7만 명이 넘는 팔레스타인인을 추방한 끝에 5월 21일 휴전 협정에 동의했다. 그러나 6월 16일, 하마스는 이스라엘을 향해 방화 풍선을 날렸고 이스라엘은 가자 지구에 다시 공습을 감행, 전투가 재개되었다. 일은 점점 커져 서안 지구로까지 싸움이 확대되었다.

김미조 작가는 책『국제분쟁, 무엇이 문제일까?』에서, 유대인과 팔레스타인의 분쟁은 표면적으론 하나의 땅을 두고 두 민족이 갈등하는 것처럼 보이지만 여기에는 여러 국가와 민족의 문제들이 포함되어 있다고 지적한다.

제2차 세계 대전 후 자신의 이해관계에 따라 유대인을 팔레스타인으로 이주시킨 영국, 이스라엘을 지원하는 미국의 속셈, 팔레스타인 편인 것처럼 행동하지만 자국의 이해관계에 충실한 중동 국가의 셈법 그리고 국제 사회의 방관 등이 교묘하게 얽힌 사건이라는 것이다.

해마다 두 진영 사이에 싸움이 발생하고 있다. 자위권을 지나치게 발동해 민간인을 대량 학살한 이스라엘, 상대의 격렬한 반격을 예상하면서도 자존심 때문에 선제공격을 감행한 하마스. 어느 누구의 편도 들어 줄 수 없는 게 현 이스라엘-팔레스타인 분쟁이다.

함께 읽기 | 김미조 『국제분쟁, 무엇이 문제일까?』

÷PART÷

3

노는 것도 체력이다

문화예술·건강 레저

가상 현실

가상 현실virtual reality, VR은 인공적인 기술로 만들어낸 가짜 현실로 실제와 유사한 공간적, 시간적 체험을 가능하게 한다. 증강 현실이 현실을 훼손시키지 않은 상태에서 부분적 가상을 얹는다면, 가상 현실은 현실 자체를 가짜로 창조해 버린다는 차이가 있다.

가상 현실은 매우 실제적인 감각 정보를 이용해 인간의 뇌를 속이기 때문에 증강 현실보다 더 높은 강도의 쾌감, 두려움을 제공한다. 증강 현실 게임이 스마트폰만을 필요로 한다면, 가상 현실 게임은 VR 안경 등 장비를 착용하는 것이 보통이다. 시각, 청각, 후각 정보를 완전히 바꾸어야 하기 때문이다.

'가상과 현실'이라는 상반된 단어의 조합이 인간의 상상력을 자극해서인지 이를 소재로 하는 책과 영화가 많다. 영화 '토탈 리콜'은 일상의 따분함을 잊기 위해 가상 현실 체험에 뛰어든 한 남자의 이야기이다. 영화 '블레이드 러너'는 복제 인간에게 유년부터 현재에 이르는 가상 현실의 기억을 심는 내용이다. '매트릭스'

는 우리가 발을 디디고 있는 세계가 가상이라면 어떻게 할 것이 냐는 물음을 던진다. '공각기동대'는 한 사람이 다수의 기억을 해 킹하는 방식으로 인간을 지배하며 '인셉션'은 꿈을 조작해 인간의 기억을 뒤틀어 놓는다. '소스 코드'는 가상 현실을 활용해 범죄를 막고, 넷플릭스의 블랙 미러 시리즈 중 '스트라이킹 바이퍼스'는 가상 현실을 이용해 금기를 즐기는 두 남자의 이야기를 다룬다.

가상 현실은 엔터테인먼트 분야 외에 비행 훈련 시뮬레이션, 자동차 안전 테스트, 테스트 드라이브, 의료상의 가상 수술, 부동 산, 관광 산업에 적극 이용되고 있거나 이용될 전망이다.

코로나19 이후 해외 여행의 통로가 막혔다. 가상 현실을 이용 하면 세계 각국의 명소는 물론 오지, 여행 금지 지역까지 손쉽게 둘러볼 수 있다. 나아가 우주 여행까지 가상으로 가능해진다면? 이렇듯 가상 현실은 이미 큰 규모의 시장을 형성하고 있으며, 향 후 전망 역시 매우 밝은 편이다.

어스 2

🔍 가상의 땅을 현찰로 사는 사람들

어스 2Earth 2는 현 지구와 똑같은 제2의 지구 안에서 땅을 거래하는 가상 부동산 게임이다. 어스 2의 판매 단위는 타일. 10x10cm짜리 타일 한 개의 가격은 0.1달러에서 출발하는데 특정 국가의 땅이 팔릴 때마다 해당 국가 전체의 땅값이 오르는 구조다. 희소성이 큰 지역의 경우 타일 하나에 몇 백 달러를 호가한다. 한 유저는 콜로세움, 바티칸 일대에 4천 원을 투자해서 50억을 벌기도 했다.

그렇다면 사람들은 왜 존재하지도 않는 땅에 이렇게 큰돈(!)을 투자하는 것일까. 그것은 앞으로 어스 2가 인기 있는 메타버스로 성장할 가능성이 높기 때문이다. 현재는 땅만 구매할 수 있지만 향후 기술 발달로 인해 서버의 용량이 늘어나게 되면 어스 2 전체를 디센트럴랜드Decentraland와 같은 가상 사회로 발전시키는 일이 가능해지는 것이다. 영끌을 해도 아파트 한 채 살 수 없는 현실 속에서 제2의 지구 땅이나마 원 없이 가져 보자는 젊은 층의 심리가 어스 2의 인기를 수직으로 끌어올린 것.

현재 어스 2는 페이팔 결제를 통해 현찰로만 구매할 수 있지만 언젠가는 블록체인 기술을 도입해 가상 화폐로 매매가 가능해지고, NTF에 소유권 등록도 추가될 것이라는 게 중론이다.

그때가 되면 어스 2의 가치는 지금과 비교할 수 없는 수준에 이를지도 모른다. 비트코인만 해도 존재하지 않는 가상의 돈이 8,000만 원까지 치솟을 줄 누가 알았겠는가. 어스 2는 서비스를 시작한 지 5개월 만에 땅값이 2만 배 이상 폭등했는데 상승 폭만 놓고 보면 비트코인을 뛰어넘는 수준이다. 세계적으로 인기 있는 지역은 이미 완판된 상태.

사람들이 단지 투자 목적으로만 가상의 땅을 구매하는 것은 아니다. 한 유저가 동해상에 '독도 ♡ KOREA' 모양의 타일을 구매하자, 이에 맞서 일본 유저가 이 글씨를 감추기 위해 인근 해역에 블록을 대량 구매했다. 이처럼 어스 2는 정치적 용도로도 소비되고 있다.

일각에서는 어스 2가 아직 메타버스 실증이 이루어지지 않은 상태인 데다 만에 하나 어스 2 플랫폼 자체가 사라진다면 땅도 증발하는 것이므로 투자에 신중을 기할 것을 당부하고 있다.

문화예술 3

메타버스

부캐가 거주하는 초현실 사회

메타버스는 1992년 닐 스티븐슨Neal Stephenson의 SF소설 『스노
크래시』(문학세계사)에서 처음 등장한 용어다. 이 소설에서 '아바
타Avatar'라는 개념도 처음 등장했다.

메타버스Metaverse란 Meta초월와 Universe현실 세계의 합성어로
아바타를 이용해 정치, 경제, 사회, 문화 활동을 하는 '초현실 사
회'를 일컫는다. 기존 가상 현실VR이, 현실 세계와 동떨어진 가짜
세계를 제공한다면, 메타버스는 실제 현실과 가상 현실 사이에
상호 작용이 가능한 것이 특징이다.

코로나19로 인해 전 세계적으로 집합과 모임이 금지되면서 미
국의 'UC 버클리'는 게임 프로그램 '마인크래프트' 속 메타버스에
캠퍼스를 짓고 졸업식을 진행했다. 힙합 가수 트래비스 스콧은
게임 '포트나이트' 속 가상 세계에서 라이브 콘서트를 열었다. 콘
서트를 관람한 관객의 숫자는 1,230만 명이라고 한다.

메타버스의 초기 모델은 2003년 미국에서 한창 유행했던 가상
현실 서비스 '세컨드 라이프second life'. 물리적 한계가 없는 가상

세계 속에서 사람들은 아바타를 이용해 인간 관계를 맺고 경제 활동을 했다. 명칭처럼 제2의 인생을 산 것이다.

여기서 한 발 나간 것이 부동산 투자에 블록체인 개념을 결합시킨 메타버스 서비스 '디센트럴랜드Decentraland'이다. 웹 VR 방식의 디센트럴랜드에서는 현실 세계에서와 똑같이 부동산 거래가 이루어진다. 지역에 따라 땅값도 천차만별. 부동산 거래에 사용되는 돈은 이더리움 기반의 암호 화폐이다. 토지 매매에 따른 거래 내역은 전부 블록체인에 기입되므로 권리 보장 또한 확실하다.

제페토ZEPETO는 증강 현실 아바타로 즐기는 소셜 네트워크 서비스로 동화 피노키오에 등장하는 목수 할아버지에게서 명칭을 따왔다. 제페토 할아버지가 피노키오를 창조했듯 나만의 부캐부캐릭터를 창조한다는 의미가 있다. 구글 앱을 설치한 후 사진을 불러오면 자동으로 아바타가 생성되는데 수백만 가지 아이템을 이용해 외형을 마음대로 편집할 수 있다는 특징이 있다. 10대 청소년을 중심으로 큰 인기몰이 중이다.

메타버스는 가상과 현실을 연결해야 하므로 순도 높은 몰입감과 원활한 소통이 관건이다. 이에 물리적 이질감을 최소화하는 첨단 그래픽 기술, 방대한 양의 데이터 처리 기술, 5G 초고속 통신망과 같은 고도의 IT 기술을 필요로 한다. 구글, 아마존, 엔비디아, 마이크로소프트, 페이스북과 같은 기술 기업이 메타버스를 끌고 가는 이유이다.

함께 읽기 | 닐 스티븐슨 『스노 크래시』

증강 현실

Q   현실 위에 가상을 얹다

증강 현실augmented reality, AR은 현실 위에 가상의 사물을 등장시켜 현실 반, 가상 반의 환경을 만든 것이다. 2016년 7월 갑자기 속초를 방문하는 사람들이 줄을 이었다. 평일임에도 고속버스 표가 매진되었고 주말에는 시 전체가 관광객들로 넘쳐났다. 다 증강 현실 게임 '포켓몬 GO' 때문에 벌어진 일이다.

당시 한국은 보안법상 구글맵의 사용이 불가능했는데 오히려 북한은 가능했다. 포켓몬 GO 게임의 개발사인 나이앤틱Niantic, Inc.이 마름모꼴로 게임 구획을 지정하는 과정에서 강원도 일부가 북한 구역에 포함되었고, 그 결과 속초에만 포켓몬이 출현했던 것이다.

이듬해 초, 한반도 전역에서 포켓몬 고 게임이 가능해지기까지 약 6개월 간 속초는 포켓몬을 잡으려는 사람들로 발 디딜 틈 없는 상황이 전개됐다. 포켓몬이 속초에 나타났다고 해서 정말 거리를 돌아다니는 것은 아니고 스마트폰 화면상에서만 보인다. 이것이 증강 현실이다. 포켓몬 GO 게임을 즐기려면 해당 앱을 다운로드해야 한다.

증강 현실은 게임 외에도 쓰임새가 다양하다. 이케아 앱을 이용하면 매장을 방문하지 않아도 원하는 가구를 집안에 배치시켜 볼 수 있으며, 스노우 앱을 이용하면 자기 얼굴에 동물 코나 귀를 매치시켜 재밌는 사진을 얻을 수 있다.

최근에는 공학, 의학, 건축 부문에서 증강 현실의 이용 빈도가 높아졌는데 BMW사에서는 증강 현실을 이용해 직원 교육을 시키고 있으며, 의료계에서는 수술 전에 장기 위치를 눈으로 확인하는 데 증강 현실을 이용한다. 건축에서 건물을 미리 완성시켜 보는 일도 증강 현실의 도움을 받고 있다. 그 밖에 어린이 교구책, 트릭 아이 등에 증강 현실이 이용되고 있다.

증강 현실 안내서인 책『증강 현실 -현실 위의 현실, 슈퍼 리얼리티의 세계가 열린다』는 '증강화란 인간이 육체적, 지능적 능력을 확장하고 강화해 더 나은 삶을 추구하도록 돕는 기술 혁신'이라고 설명하고 있다. 아울러 '로봇과 얼마나 잘 협업할 수 있는지가 앞으로 당신의 연봉을 결정할 것'이고 '정규직보다는 전문 프리랜서 형태로 고용 시장이 재편될 것'으로 예측한다.

증강 현실과 비슷한 개념으로 가상현실Virtual Reality, VR이 있다. 컴퓨터가 만들어낸 가짜 현실이라는 뜻이다. 넓은 의미에서 증강 현실도 가상 현실에 속하지만 일반적으로 가상 현실이라고 하면 증강 현실과 달리 실물이 아예 존재하지 않는 것을 의미한다.

함께 읽기 | 브렛 킹 『증강현실』

도문대작

🔍 고기가 먹고 싶어 입맛을 다시다

　도문대작屠門大嚼은 '푸줏간 앞에서 쩝쩝 입맛을 다신다'는 뜻으로 1611년광해군 3년 허균이 지은 '음식 품평' 책이다. 허균은 최초의 국문 소설 홍길동전의 저자로 희대의 천재였다. 시와 문에도 뛰어났지만 음식에도 조예가 깊었다. 허균은 전라도 함열咸悅, 지금의 익산로 귀양 가 있던 시기에 『성소부부고惺所覆瓿藁』를 지었는데 제26권이 바로 '도문대작'이다.

　그는 도문대작 서문에 '내가 죄를 짓고 바닷가로 유배되었을 적에 쌀겨마저도 부족하여 밥상에 오르는 것은 상한 생선이나 감자, 들미나리 등이었고 그것도 끼니마다 먹지 못하여 굶주린 배로 밤을 지새울 때면 언제나 지난날 산해진미도 물리도록 먹어 싫어하던 때를 생각하고 침을 삼키곤 하였다 (…) 마침내 종류별로 나열하여 기록해 놓고 가끔 보면서 한 점의 고기로 여기기로 하였다.'고 이 책을 쓰게 된 이유를 밝히고 있다.

　실제로 그는 '선친이 생존해 계실 적에 사방에서 나는 별미를 예물로 바치는 자가 많아서 나는 어릴 때 온갖 진귀한 음식을 고루 먹을 수 있었다. 커서는 잘사는 집에 장가들어서 산해진미를 다 맛볼 수 있었다.'고 한다. 다양한 음식을 먹을 기회가 남보다 많았던 것이다.

또한 그는 임진왜란을 겪으면서 북쪽으로 피난을 가 있는 동안 기이한 해산물을 골고루 맛보았고, 벼슬길에 나선 뒤로는 전국의 수령 자리를 전전하면서 우리나라에서 나는 별미를 모두 먹어볼 수 있었다.

도문대작은 크게 과실류, 고기류, 어패류, 채소류 편으로 구성되며 총 117종의 식품, 음식과 관련해 모양, 맛, 생산지, 생산 시기, 기원 등을 언급하고 있다. 허균은 어릴 적 강릉 외갓집에서 먹었던 방풍죽, 금강산에서 맛본 귀리떡 등 추억의 음식에 대해서도 지면을 할애하고 있다.

자산어보

Q   조선 후기에 편찬한 해양 생물학 사전

자산어보玆山魚譜는 조선 후기 학자인 정약전이 흑산도 일대의 어류와 동식물에 대해 분석한 해양 생물학 사전이다. 정약전은 정조 승하 직후인 순조 원년1801년에 신유박해로 인해 전라도 흑산도에 유배되었는데 1814년순조 14년까지 생활하면서 이 책을 저술했다.

『자산어보』는 총 3권 1책으로 되어 있으며 다양한 해양 동식물의 이름, 모양, 크기, 습성, 맛, 쓰임새, 분포 등에 따라 세세하게 구분하여 기록했다. 현재 원본은 소실되고 필사본만 전해진다.

책명이 '흑산어보'가 아니라 '자산어보'인 것에 대해 정약전은 '자玆'가 흑이라는 뜻도 지니고 있다며, 흑산이라는 이름은 음침하고 어두워 피했다는 설명을 달았다. 이 책을 쓰게 된 경위에 대해서는 '흑산도 해중에는 어족이 극히 많으나 이름이 알려져 있는 것은 적어, 박물자博物者가 마땅히 살펴야 할 바이다.'라며 어보 만드는 일을 도와준 사람의 이름까지 언급했다.

'섬 안에 장덕순張德順, 일명 昌大이라는 사람이 있는데, 두문사객

하고 고서를 탐독하나 집안이 가난하여 서적이 많지 않은 탓으로 식견이 넓지 못하였다. 그러나 성품이 차분하고 정밀하여 초목과 조어를 이목에 접하는 대로 모두 세찰하고 침사하여 그 성리性理를 터득하고 있었으므로 그의 말은 믿을 만하였다. 그리하여 나는 드디어 그를 맞아들여 연구하고 서차를 강구하여 책을 완성하였다.'고 적었다.

『자산어보』 제1권은 인류비늘이 있는 것, 제2권은 무인류비늘이 없는 것 및 개류갑각류, 제3권은 잡류로 되어 있으며 총 155종을 설명하고 있다. 그 중 잡류는 해충바다 벌레, 해금바다 새, 해수바다 짐승, 해초바다 풀로 다시 나뉜다. 재밌는 것은 무인류 가운데에는 인어人魚도 등장한다는 사실이다.

이름만 살펴보면 인류의 종류로는 20가지석수어, 치어, 노어, 강항어, 시어, 벽문어, 청어, 사어, 검어, 접어, 소구어, 도어, 망어, 청익어, 비어, 이어, 전어, 편어, 추어, 대두어가 있다. 무인류로는 19가지분어, 해만려, 해점어, 돈어, 오적어, 장어, 해돈어, 인어, 사방어, 우어, 회잔어, 침어, 천족섬, 해타, 경어, 해하, 해삼, 굴명충, 음충가 있다. 개류로는 12가지해구, 해, 복, 합, 감, 정, 담채, 호, 나, 율구합, 구배충, 풍엽어가 있다.

기존의 문헌을 많이 참고하고, 현지인의 증언을 보태기는 했지만 정약전이 실제로 물고기를 해부하거나 직접 관찰하여 내용의 충실을 기했다. 가령 아가미의 구조를 밝히거나 '이 생선은 맛이 달고 기름지다, 이 조개는 향이 좋지만 쓴맛이 난다.'는 식으로 맛에 대해 서술한 부분이 그러하다.

함께 읽기 | 정약전, 이청 『자산어보』, 김훈 『흑산』

동의보감

동의보감東醫寶鑑은 허준1539~1615이 1596년선조 29년에 편찬하기 시작하여 1610년광해 2년에 완성한 의학서이다. 『동의보감』은 동국조선의 실정에 맞는 의서라는 뜻으로 허균이 직접 이름을 붙였다.

동의보감 편찬은 선조의 지시에 따른 대규모 프로젝트였으나 정유재란으로 중단됐다가 광해군에 이르러 허준 혼자 마무리했다. 중국 의서는 물론이고 조선에 존재하는 모든 처방들과 민간 요법, 주술요법을 체계화하여 정리한 것이 특징이다. 동의보감은 완성도가 매우 뛰어난 책으로 한의학의 질을 크게 끌어올린 공을 인정받고 있다. 현대 한의학도 동의보감을 적용하여 치료할 정도이다.

동의보감은 총 25권으로 되어 있는데 내과학인 「내경편」이 4권, 「외형편」이 4권으로 되어 있다. 내경편 4권을 국어로 번역하면 200자 원고지 8,000매 분량이 되며, 외경편 4권은 9,000매가 된다. 그 밖에 유행병 등을 다룬 「잡병편」이 11권, 「탕액편」 3권,

「침구편」 1권, 「목차편」 2권으로 구성되어 있다.

동의보감은 각 병증에 대한 처방을 빠짐없이 수록하였을 뿐만 아니라, 출전을 밝히고 있어 고금의 처방까지 일목요연하게 파악할 수 있다. 동의보감은 조선의 의서인 「의방유취」와 「향약집성방」을 비롯해 「본초강목」, 「상한론」, 「황제내경」, 「의학입문」 등 중국의 의서 86종에, 도가, 역사, 유교, 불가 서적 등이 더해져 총 200여 권의 책이 인용되었다.

허준은 동의보감 서문에 '병이 같더라도 사람에 따라 치료법이 다르다'는 말로 사람 중심의 의학을 강조했으며, '국민의 보건 의료에 대한 책무가 국가에 있다'는 근대적 이념까지 담고 있다. 실용성을 중요하게 여겨 쉽게 구할 수 있는 약물 재료를 바탕으로 하고 있으며, 치료에 앞서 병에 걸리는 것을 막는 '양생'의 개념을 적극 제시하고 있다.

내용 면에서 내경편은 인체의 바탕인 정精, 기氣, 신神과 이들의 작용으로 인해 나타나는 피, 꿈, 목소리, 말, 진액, 담음을 다루었다. 순서상으로는 정·기·신을 만들어 담고 있는 오장육부, 기생충, 소변, 대변 순으로 기술되며, 각 작용 및 생리, 병리 현상을 기술했다. 외형편은 인체의 상부부터 아래로 내려가며, 기의 상승과 하강, 출입의 원리와 병증과의 관계를 이해시키는 흐름으로 기술되었다.

온갖 의학 지식을 집대성한 책이다 보니 허황된 내용도 더러 섞여 있는데 경옥고를 매일 먹으면 360세까지 산다거나, 아들딸을 가려 낳는 방법인 '전녀위남법'의 경우 기록한 허준조차 그것을 사실로 믿었다고 보기에는 무리가 있다.

또한 동의보감 잡병편에는 불 피우는 방법, 자석이 남쪽을 가리키게 하는 방법, 옷에 묻은 기름때 제거하는 방법 등이 수록되어 있어 의학이 아니라도 뭔가 백성들에게 도움이 될 법한 것이라면 빠짐없이 수록했음을 알 수 있다.

허준이 직접 간행에 관여한 동의보감 어제본은 국립 중앙 도서관과 한국학 중앙 연구원에 각각 소장되어 있다. 두 권 다 국보로 지정되었으며, 2009년 7월 31일 유네스코 세계 기록 유산에 등재되었다.

함께 읽기 | 고미숙 『동의보감, 몸과 우주 그리고 삶의 비전을 찾아서』

반달리즘

🔍 문화재 파괴 행위

　반달리즘vandalism은 예술품을 파괴하는 행위이다. 5세기 유럽의 민족 대이동 때 반달족이 로마의 문화재를 약탈하고 파괴한 데서 유래한 명칭이다. 사전적 정의로는 '고의 또는 무지에 의한 공공물의 오염과 훼손'을 의미한다.

　반달족을 문화재 파괴범으로만 여기며 오해를 하는 경우도 있지만 정작 반달족은 로마 문화의 우수성을 인정하여 예술 문화의 파괴를 최소화하였다. 그들이 치중한 것은 재물을 노략하는 일이었다.

　반달리즘에 대한 가장 오래된 기록은 기원전 356년 헤로스트라투스라는 사람이 악명을 떨치려는 목적으로 에페소스에 있는 아르테미스 신전에 불을 질렀던 일이다. 그 밖에 그리스가 알렉산드리아의 도서관을 불태운 행위, 진시황제의 분서갱유가 기록할 만한 반달리즘으로 꼽힌다. 개인이 짧은 생각으로 자국의 문화재를 훼손하기도 하는데 중국 남북조 시대 양나라의 황제 소역蕭繹이 "내 죽을 바에 책들이 무슨 소용인가?"라며 고금 서적 14만권을 불태운 일은 두고두고 비판을 받고 있다.

성상 파괴 운동iconoclasm은 9세기 무렵 동방 정교회에서 '우상을 만들지 말라'는 교리 아래 예수상, 성모 마리아상을 파괴한 일을 일컫는다. 이 일은 교황청에 명분을 제공하여, 비잔티움 내전으로 이어졌다. 중세 암흑기가 지나 16세기 스위스 취리히에서도 종교 개혁가 츠빙글리가 다시 성상 파괴 운동을 주도했으며, 18세기 프랑스 혁명 당시에도 혁명 세력이 교회를 적폐로 몰아 성당 건물을 때려 부순 일이 있다.

정부에 대한 불만으로 고의적으로 문화재를 훼손하는 일도 자주 발생하고 있다. 숭례문을 불태운 사람이 10년 징역형을 언도받고 만기 출소한 것이 대표적인 예다. 이슬람 극단주의 테러 단체 ISIL이라크 레반트 이슬람국은 민간인 학살과 반달리즘을 일삼아 비난을 면치 못하고 있다.

문화재 파괴 행위는 침략 전쟁 때 두드러지는데 국내의 경우 당나라 장수 소정방이 백제의 정림사지 오층 석탑에 비문을 새긴 일이 대표적이다. 여몽 전쟁, 임진왜란 때도 침략자에 의한 문화재 파괴 행위가 발생했다. 1866년 병인양요 때는 프랑스군이 외규장각에 소장되어 있는 도서를 약탈하고 불을 질렀다. 유럽은 식민지 건설 과정에서 전 세계의 문화재를 자국으로 강탈해 간 역사가 있다.

하지만 문화재의 중요성에 대한 지각이 있는 사람은 전쟁 중에도 상대방의 문화재를 파괴하는 행위는 하지 않는다. 미국은 2차 대전 당시 일본에 원폭을 투하하면서도 천 년 고도 교토는 건드리지 않았다. 반면 독일의 유서 깊은 도시 드레스덴은 쑥대밭으로 만들었다. 이러한 차이는 폭격을 지휘하는 사령관의 양식에 달렸다고 할 수 있다. 문화 예술에 대한 애정이 있는 사람은 적국일지라도 문화재 파괴를 최소화한다.

철없는 어린아이들이 문화재에 낙서하는 일 역시 반달리즘이며, 최근에는 '사이버 반달리즘'이라 하여 인터넷 백과사전 위키백과, 나무위키 등 집단 지성의 결과물에 편집이라는 미명을 들이대며 무차별적으로 삭제하는 일도 벌어지고 있다.

문화재 파괴자는 문화재 보호법 제92조에 의해 3년 이하의 징역에 처해지며, 사안이 중대할 경우 2년 이상의 징역형을 언도하고 있다.

문화예술 9

평행 이론

🔍　　　다른 시대, 비슷한 삶

평행 이론parallel life은 다른 시대를 사는 두 사람의 운명이 우연히 비슷할 경우, 이를 뒷받침할 근거를 만들기 위해 정황을 패턴화시킨 것이다. 에이브러햄 링컨과 존 F. 케네디의 평행 이론이 유명하다.

미국의 16대 대통령 에이브러햄 링컨과 35대인 존 F. 케네디는 공통적으로 민주주의와 인권 수호에 큰 공헌을 한 지도자이다. 정확히 100년의 시차를 두고 링컨은 1846년에, 케네디는 1946년에 하원 의원에 당선됐다. 또한 100년 시차를 두고 링컨은 1860년에, 케네디는 1960년에 대통령에 당선되었다.

두 사람 다 뒷머리에 총을 맞았고, 총을 맞을 때 부인이 옆에 있었다. 그날은 금요일이었다. 링컨 대통령의 암살범 존 월크스 부스는 1839년생이고, 케네디 대통령의 암살범 리 하비 오즈월드는 1939년생이었다. 링컨은 포드 극장에서 사망했고, 케네디는 포드사가 제조한 링컨 컨티넨탈 안에서 사망했다. 링컨의 암살범은 극장에서 저격 후 창고로 달아났고, 캐네디의 암살범은 창고에서 저격 후 한 극장으로 달아났다.

두 사람 다 백악관에 들어오기 전에 자식 한 명을 잃었고, 백악관에 머물면서 다시 자식 한 명을 잃었다. 둘 다 로버트와 에드워드라는 이름의 가족이 있었으며, 둘 다 프랑스어를 할 줄 아는 24세의 여성과 결혼했다. 그리고 퍼스트레이디였던 메리 토드 링컨, 재클린 케네디 오나시스는 둘 다 64세에 사망했다.

링컨 대통령 사망 후 직무를 승계한 앤드루 존슨 부통령은 1808년생이고, 케네디 대통령의 뒤를 이은 린든 존슨 부통령은 1908년생이었다. 두 사람의 성이 '존슨'인 것까지 일치했으며 둘 다 대통령이 사망한 지 10년 뒤에 세상을 떠났다.

링컨, 케네디는 테쿰세의 저주Tecumseh's Curse에 해당하는데 미국 성립 초창기, 원주민 추장 테쿰세가 침략자의 손에 죽어 가면서 '20년마다 0년 해에 당선되는 미국 대통령은 임기 중 목숨을 잃을 것'이라고 저주를 내렸다고 한다. 그리고 진짜 1840년부터 1960년까지 120년 동안 단 한 번도 틀리지 않고 이 예언이 적중했다. 저주의 효력이 떨어진 것은 1980년 당선자인 로널드 레이건 때부터이다.

링컨과 케네디 외에 잔 다르크와 유관순, 나폴레옹 보나파르트와 아돌프 히틀러의 생애가 평행 이론 내지 환생으로 해석되고 있다. 평행 이론과 평행 우주는 자주 혼동되는 단어인데 평행 우주는 평행선에 놓여 있는 또 다른 세계를 말한다. '누군가의 삶이 나에게 반복되고 있다'는 것이 평행 이론이라면 '우주 너머에 또 다른 내가 존재한다'는 것이 평행 우주Parallel World이다.

세계수

신화 속 신성한 나무

세계수世界樹. world tree는 세계 여러 신화에 중첩되어 등장하는 천상의 나무이다. 이 거대한 나무는 하늘과 지상을 연결하며 그 뿌리는 지하 세계로 이어진다. '우주수'라고도 한다.

북유럽 신화 속 세계수 이그드라실은 세상의 중심에서 생겨나 하늘 높이 가지를 뻗고 있다. 이그드라실은 아홉 세계를 연결하는데 천계에는 오딘이 다스리는 이스가르드가 있고, 지상에는 인간 세상인 미스가르드가 펼쳐져 있다. 이 두 공간을 무지개 다리 '비프로스트'가 연결한다.

미드가르드 바깥쪽에는 거인국 요툰헤임과 '공간의 바다'가 자리 잡고 있다. 이그드라실의 뿌리는 죽은 자의 땅 니플헤임으로 연결된다. 그리고 다른 차원의 공간에 불꽃의 나라 무스펠헤임, 반신족의 나라 바나헤임, 요정의 나라 알브헤임, 소인국 스바르트알파헤임이 있다.

이그드라실과 비슷한 세계수 신화로 헝가리의 에기그에로파, 투르크의 아아츄 아나, 몽골의 모둔, 게르만의 이루민스루, 슬라

브의 오크, 요루바의 이로코, 중국의 건목, 힌두의 보리수가 있다.

우리나라에도 천상의 나무인 성수聖樹 신화가 있는데 신단수神檀樹는 환웅이 하늘로부터 3천 무리를 이끌고 내려앉은 장소에 서 있던 나무이다. 웅녀는 이 나무에 기도하여 단군을 낳았다고 한다. 신단수는 천신 숭배 사상과 수목 신앙이 결합된 형태로 후대에 서낭당, 당산나무로 신성성이 이어진다.

그 밖에 시림始林의 나뭇가지에 걸려 있던 황금궤 안에서 아기가 태어났다고 하는 김알지 신화, 원효가 태어난 나무를 사람들이 사라수裟羅樹라 하여 성스럽게 여겼다는 '원효불기 설화'가 성수 신화로 꼽힌다.

어떻게 해서 세계 여러 민족은 세계수, 성수 신화를 공통되게 갖고 있는 걸까. 개인의 머리에서 나왔다고 하기에는 유사성이 짙다. 이에 대해 두 가지 설이 있는데 하나는 사람의 동선을 따라 이야기가 이동했다는 설이고, 다른 하나는 집단 무의식의 결과라는 설이다.

집단 무의식Collective unconscious은 인류의 마음에 보편적으로 존재한다고 생각되는 선천적인 원형Archetypus을 말한다. 정신과 의사 칼 융은 인간의 심층 심리를 연구하는 과정에서 집단 무의식을 생각해 냈다. 사람들의 꿈이나 공상에 공통적으로 나타나는 전형적인 이미지, 동서고금의 문학 작품에서 발견되는 서사 양식, 인물 유형, 성물. 이 모든 것들이 집단 무의식의 작용이라는 것이다.

스토리노믹스

스토리노믹스는 글자 그대로 이야기 산업이다. 스토
리가 단순한 재미를 넘어 생산성과 경제성을 가질 때 스토리노믹
스라고 한다.

두 개의 책이 있다. 하나는 문학 산업과 스토리 마케팅의 연관
성에 대해 분석한 수잔 기넬리우스의 『스토리노믹스』2009년다. '해
리 포터 시리즈' 대박의 비밀을 파헤친 이 책은, 해당 시리즈가 가
진 작품성 외에 작가의 사적인 스토리에 주목하고 있다. 널리 알
려졌듯 조앤 롤링은 주당 10만 원가량의 생활 보조금으로 생활해
야 했던 이혼녀였다. 집필실이 따로 없어 카페 구석에 앉아 글을
써야 했다. 그러던 그녀가 마침내 성공하여 자기가 번 돈으로 아
름다운 성을 사들였으며, 멋진 남편과 재혼하였고, 대영 제국 훈
장까지 받았다. 롤링의 신데렐라 스토리는 그 자체로 한 편의 판
타지물이라고 할 수 있다. 해리 포터는 작품성이 뛰어난 데다 작
가가 감동적인 스토리를 갖고 있었으며, 이런 사실을 전 세계로
퍼뜨려 줄 인터넷 시대에 출간됐다. 이보다 더 완벽한 스토리노

믹스는 없다는 게 기넬리우스의 생각이다. 또 하나의 책은 디지털 환경에 최적화된 스토리 마케팅 지침서, 로버트 맥키의 『스토리노믹스』2020다. 전설적인 스토리 컨설턴트인 맥키는 사람들이 유튜브를 보다가 광고를 스킵해 버리는 데서 이야기를 시작한다.

'광고 자체가 한 편의 스토리라면 이야기가 달라지지 않을까.' 스토리는 사람의 생각과 생각을 가장 잘 이어주고, 사람들의 관심을 자연스럽게 붙잡고, 긴장을 놓지 못하게 만들며, 유의미한 정서적 경험으로 보상해 주는 소통 양식이라는 게 맥키의 주장이다. 맥키는 스티브 잡스를 스토리노믹스의 탁월한 가디언으로 추어올린다.

'잡스는 소비자들이 무의식적으로 원하지만 의식적으로 깨닫지 못하던 바를 알아차렸다.' 그것은 바로 스스로를 반항적이고 창의적인 엘리트로 바라보는 시각이었다. 잡스는 소비자들이 가지고 있던 무언의 욕구에 말을 걸었고, 애플은 그의 비전을 탁월한 광고 시리즈로 스토리화했다는 것이다.

최근 광고 분야에서는 컨텍스츄얼 마케팅contextual marketing의 하나로 스토리텔링 기법이 적극 활용되고 있다. P&G의 세탁 세제 브랜드 타이드Tide 광고는 2017년 미국 슈퍼볼 대회 자체를 스토리텔링 도구로 이용해 큰 화제 몰이를 했다. 경기 해설자 '테리 브래드쇼'가 경기장 안팎을 누비며 펼쳐 보이는 상황은 한 편의 드라마를 연상케 한다.

함께 읽기 | 수잔 기넬리우스 『스토리노믹스』, 로버트 맥키 『스토리노믹스』

낯설게 하기

독자의 시선을 오래 붙들기

낯설게 하기Defamiliarization는 낯익은 것을 낯설게 만든다는 의미로, 문학 작품에서 독자의 인식을 지연시키려는 의도로 사용되는 창작 기법이다. '낯설게 하기'라는 용어를 처음 창안한 사람은 초기 러시아 형식주의자 쉬클로프스키이다. 그는 논문 「기법으로서의 예술Art as a Technique」에서 톨스토이의 일기1897년 2월 29일를 인용하면서 언어가 너무 진부하면 대상을 습관적이고 기계적으로 받아들이게 되기 때문에 주의를 끌지 못한다고 했다.

톨스토이의 일기에 보면 그가 청소를 하다가 가구의 먼지를 닦았는지 안 닦았는지 잠깐 헷갈려하는 장면이 나온다. 톨스토이는 이에 대해 '우리의 삶이 이처럼 무의식적으로 흘러간다면 그것은 존재하지 않았던 것이나 다를 바 없다'고 적었다. 즉 너무 익숙해서 아무 자극을 주지 못하는 삶은 삶으로서의 의미가 없다는 뜻이다.

쉬클로프스키는, 문학 언어는 일상의 언어와 달라야 한다고 했다. 하여 '낯설게 하기'를 통해 친숙한 대상을 친숙하지 않게 만

듦으로 지각 반응을 지연시켜야 한다는 것이다. 시인이 난해한 문장과 낯선 비유를 사용하는 것은 독자를 괴롭히기 위해서가 아니라 읽는 이로 하여금 시선을 오래 붙들어 두고 의미를 곱씹도록 하기 위해서라는 것이다. 이는 단순히 사물을 왜곡하는 일이 아니며 습관화되고, 자동화된 우리의 감각에 생명을 불어넣어 사물의 본래 모습을 찾아 주는 일에 가깝다.

낯설게 하기는 문학 외에 회화, 사진 예술 등에서도 접할 수 있는데 초현실주의 화가 르네 마그리트는 '파이프'를 그려 놓고 '이것은 파이프가 아닙니다'라는 제목을 달았다. 이런 제목 앞에서 관람객은 일순 긴장하게 된다. '그럼 뭐란 말이지?' 마그리트가 그림과 제목을 어긋나게 배치한 것은 그림은 대상의 재현일 뿐이지, 그 대상 자체는 아니라는 것을 환기시키기 위해서이다.

의식의 흐름

🔍 문학, 인간의 무질서한 의식 세계를 좇다

　의식의 흐름Stream of consciousness은 등장인물의 파편적이고 무질서한 의식 세계를 가감 없이 그려 내는 소설 창작 기법이다. 아방가르드, 모더니즘 예술의 특징 가운데 하나로 19세기 말 미국의 심리학자 윌리엄 제임스가 처음 사용한 용어이다. 제임스 조이스의『율리시즈』, 마르셀 프루스트의『잃어버린 시간을 찾아서』가 대표적인 의식의 흐름 기법을 차용한 소설로 꼽힌다.

　『율리시즈』는 1904년 6월 16일, 레오폴드 블룸과 그의 아내 마리언 블룸, 청년 지식인 스티븐 디덜러스 세 사람이 더블린에서 겪는 하루 동안의 일을 그리고 있다. 소설은 아침 8시에서 새벽 2시에 이르는 동안 이들이 먹고, 마시고, 걷고, 일하고, 배설하고, 썻고, 미사에 참석하고, 죽은 자를 장사 지내고, 갈등하고, 싸우고, 베풀고, 대화하고, 노래하고, 편지를 쓰고, 취하고, 독서하고, 섹스하고, 지쳐 잠자리에 드는 것으로 채워져 있다.

　원래 '율리시즈'는 오디세우스의 로마식 표기로, 호메로스의 서사시『오디세이아』의 주인공이다. 율리시즈는 트로이 전쟁을 승리로 이끌지만 고향으로 돌아오기까지 10년의 세월을 모험으로 보낸다. 소설 『율리시즈』 18장은 고대 서사시 『오디세이아』에 각각 대입되어 블룸은 율리시즈, 아내 마리언은 페넬로페, 디덜러스는 텔레마코스로 표현된다. 작가는 평범한 사람들의 하루 일상과 영웅의 10년 모험을 대비시킴으로 보편적 존재자면서 개별자로서의 인간을 끈질기게 탐구한다.

프루스트의 『잃어버린 시간을 찾아서』는 1913년부터 1927년까지 출간된 7권의 소설이다. 각각의 제목은 다음과 같다. 스완네 집쪽으로, 꽃 핀 소녀들의 그늘에서, 게르망트 쪽, 소돔과 고모라, 갇힌 여인, 사라진 알베르틴, 되찾은 시간으로.

이야기는 중년의 화자가 어느 날 홍차에 적신 마들렌을 한 입 베어 물면서 데자뷰에 빠지는 것으로 시작된다. 의식의 흐름 기법, 시간성과 공간성을 무시한 소설적 구조도 돋보이지만 시간을 다시 회복시키고, 과거가 무의식의 도움을 받아 예술 속에서 회복되는 등 소설이 보여 줄 수 있는 것을 다 보여 주었다는 평을 듣고 있다.

김화영 교수는 '시간에 따라 인간의 마음이 변할 수밖에 없다는 걸 알면서도 끊임없이 알려고 노력하는 작가'라고 프루스트를 평가했으며, 민희식 교수는 『잃어버린 시간을 찾아서』를 두고 '한 사람 한 사람이 따로 또 같이 결정結晶을 이룬 하나의 상징이며, 수많은 사물을 소재로 지은 대성당'이라고 했다.

함께 읽기 | 제임스 조이스 『율리시즈』, 마르셀 프루스트 『잃어버린 시간을 찾아서』

산해경

Q　　고대 중국의 요괴 도감

　산해경山海經은 중국에서 가장 오래된 지리서 내지 신화서로 통한다. 중국 춘추 전국 시대기원전 770~221년 작품이라고는 하지만 정확하지 않고, 백익이 저자라고 하지만 너무 많은 사람이 기록을 보탰고, 산과 바다의 지형에 대한 책이라고 하지만 실제 지형과 전혀 연결되지 않는다. 그곳에 산다는 동물마저 요괴 일색이다. 역사책도, 지리책도, 도감도 아닌 이 책에 의미를 부여하자면 바로 그런 불분명함으로 많은 사람들을 상상의 세계로 안내했다는 것이다.

　『산해경』은 현존 18권으로, 산경山經 5권, 해경海經 8권, 대황경大荒經 4권, 해내경海內經 1권이 전해진다. 뤄양洛陽. 낙양을 중심으로 동서남북의 지리를 기록하면서 각 지역의 신화와 특산물, 풍속, 요괴를 소개하고 있다. 이 책에 등장하는 요괴의 숫자만 총 1,231 마리. 오만 가지 환상종 가운데 구미호, 인어, 비익조는 그나마 낯익은 것이고, 사람을 잡아먹는다는 라라새, 토루, 포효 같은 괴물도 볼 수 있다.

여신 서왕모西王母에 대한 기록도 만날 수 있는데 정재서 역주 『산해경』에는 다음과 같이 묘사되어 있다. '다시 서쪽으로 350리를 가면 옥산이라는 곳인데 이곳은 서왕모가 살고 있는 곳이다. 서왕모는 그 형상이 사람 같지만 표범의 꼬리에 호랑이 이빨을 하고 휘파람을 잘 불며 더부룩한 머리에 머리 꾸미개를 꽂고 있다. 그녀는 하늘의 재앙과 오형을 주관한다.'

산해경의 후속편 격으로 신이경神異經이라는 책이 있었다고 하나 내용은 전해지지 않는다.

팬픽

Q 팬덤 문화가 만들어 낸 2차 창작물

팬픽은 히트한 만화, 애니메이션, 영화, 드라마 등을 이용해 재창작하는 것을 말한다. 즉 2차 창작의 하나이다. 팬픽 외에 패러디, 동인지 등이 2차 창작에 해당된다. 보통 등장인물의 캐릭터는 그대로 살린 채 결말을 다르게 만들거나 알려지지 않은 이야기, 프리퀄을 다룬다. 좋아하는 연예인을 주인공으로 해서 이야기를 지어내는 것도 팬픽의 범주에 든다.

팬픽 스타일의 예술 활동은 오래전부터 있어 왔다. 빈센트 반 고흐의 '씨 뿌리는 사람'은 선배 화가 장 프랑수아 밀레의 '씨 뿌리는 농부'1850를 참고했다고 알려졌으며, 마르셀 뒤샹은 레오나르도 다빈치의 '모나리자' 엽서에 수염을 그려 넣은 'L.H.O.O.Q'를 통해 사고의 확장을 꾀했다. 구분하자면 고흐의 작품은 경의, 존경을 뜻하는 '오마주'에 가깝고, 뒤샹의 작품은 익살, 풍자를 뜻하는 '패러디'에 가깝다.

팬픽은 원작자의 허가 없이 1차 창작물의 세계관을 가져오므로 원작의 이미지를 훼손시킨다는 논란이 종종 일었다. 대표적인 예가 '닌텐도 포켓몬 동인지' 사건이다. 일본의 한 20대 여성이 포켓몬을 주인공으로 하는 19금 만화를 제작해 미성년자에게 판매했다가 저작권 침해로 10만 엔의 벌금을 낸 일이 그것이다. '동인지'란 일본 덕후 문화에 있어 정식 유통을 거치지 않고 위탁 판매되는 출판물을 말한다.

이런 예도 있지만 2차 창작이 활발하다는 것은 그만큼 그 작품에 대해 팬덤이 형성되어 있다는 것이므로 원작자는 크게 문제 삼지 않는 것이 보통이다. 오히려 이런 2차 창작물로 인해 원작의 인기가 유지되는 측면이 있으므로 알고도 모르는 척하는 경우가 다반사다. 불법도 아니고 합법도 아닌 회색의 창작 지대에 머물러 있는 것이 팬픽이다.

문화예술 16

야오이

Q 남남 커플 만화는 특별한 매력이 있다

야오이ゃぉぃ는 남성 동성애 장르 소설을 일컫는 말로 BLBoys'
Love로도 불린다. 웹툰, 웹소설 시장에서 야오이의 비중은 결코
작지 않은데, 작가 대부분이 여성이며 소비층 역시 여성이다. 왜
여성들이 야오이를 좋아할까. 이에 대해서는 의견이 분분하지만
일반 19금 에로물의 경우 주로 남성향으로 만들어지기 때문에 여
성을 약자로 설정하여 폭력적으로 다루거나 여성의 특정 신체 부
위를 고의로 노출하는 경향이 있다.

하지만 남남 커플에서는 이런 불편한 장면이 나오지 않으며,
사랑과 우정, 삶과 놀이를 자유자재로 넘나들며 인간관계의 다양
한 면을 엿볼 수 있다. 무엇보다 야오이물의 주인공은 미소년이
다. BL을 통해 순정 만화에나 등장하는 미소년을 마음껏 감상할
수 있다는 점은 놓칠 수 없는 매력이다.

야오이는 팬픽팬심으로 쓰는 픽션 분야에서도 종종 다루어지는데
두 명의 남자 아이돌이 서로에게 반해 사랑에 빠지는 이야기가
주를 이룬다. 픽션일망정 자신이 좋아하는 연예인을 다른 여성에

게 빼앗기기 싫다는 팬심의 작용이라고 할 수 있다.

반면 실제 동성애자들은 야오이물을 선호하지 않는다고 한다. 야오이가 원체 '순정 만화'의 남남 버전이어서 현실 동성애와 유리되어 있기 때문이다.

야오이는 일어로 밤을 쫓는다夜追い는 뜻으로 1968년 발표된 '밤을 쫓는다'라는 만화에서 유래한 이름이다. 이 만화 내용이 남성 간의 성애를 다루고 있었던 것. 한편, 야오이와 구별하여 이성 애물을 덕후 용어로 헤테로ヘテロ라 부른다.

움라우트

　움라우트독일어: Umlaut는 변모음의 일종으로 [i], [iː], [j] 발음 앞에 후설 모음혀가 뒤쪽에 위치해 발음되는 모음인 ㅡ, ㅓ, ㅏ, ㅜ, ㅗ가 오면 연관된 전설 모음혀가 앞쪽에 위치해 발음되는 모음인 ㅣ, ㅔ, ㅐ, ㅚ, ㅟ로 바뀌는 현상이다. 움라우트는 독일어로 '둘레'를 뜻하는 um과 '소리'를 뜻하는 Laut의 합성어이다. 대표적인 움라우트로 ä, ö, ü가 있다. 각 문자의 음성기호는 ä는 [ɛ], ö는 [œ], ü는 [ʏ]이다. 이런 문자 표기가 불가능한 자판에서는 a, o, u의 뒤에 e를 붙여 각각 ae, oe, ue로 표기한다.

　우리말로는 움라우트를 'ㅣ'모음 역행 동화라고 한다. ㅏ나 ㅗ 모음 뒤에 ㅣ모음이 뒤따라올 경우, ㅏ모음이 ㅐ모음으로 변하는 경우가 이에 해당된다. 소금쟁이소금장이, 괴기고기, 올챙이올창이, 칼잽이칼잡이, 잽히다잡히다, 핵교학교, 애비아비의 예가 있다.

　움라우트는 중국 조선어 방언, 전라도 방언에서 독특한 형태로 나타나는데 노년층의 발화에서 더 흔한 경향이 있다. 푀기포기, 뫼디묘지, 뇧이다놓이다, 퇴믹이토목이, 뭬야뭐야, 죙액이종혁이: 사람 이

름)처럼 피동화주인 후설 모음이, 동화주인 전설 모음 ㅚ, ㅟ 형태
로 옮아간다.

　움라우트가 발생하는 이유는 발음할 때의 노력을 줄이기 위해
서이다. 후설 모음ㅡ, ㅓ, ㅏ, ㅜ, ㅗ 뒤에 'ㅣ'나 'ㅣ'계 모음이 올 경우
발음이 쉬운 전설 모음ㅣ, ㅔ, ㅐ, ㅚ, ㅟ 형태로 변하는 것이다.

움라우트 = 'ㅣ'모음 역행 동화의 예	
학교 → 핵교	먹이다 → 멕이다
아비 → 애비	그리다 → 기리다
죽이다 → 쥑이다	아기 → 애기
어렵다 → 에렵다	남비 → 냄비
토끼 → 퇴끼	고기 → 괴기
손잡이 → 손잽이	젖먹이 → 젖멕이
칼잡이 → 칼잽이	아지랑이 → 아지랭이
-나기 → -내기 예) 서울내기	멋장이 → 멋쟁이

교향곡

Q.   대규모 관현악단을 위한 음악

교향곡symphony은 대규모 관현악단의 연주를 염두에 두고 만든 규모 있는 음악이다. 채임버 오케스트라의 경우 적게는 10명이 연주하기도 하지만, 필하모닉 오케스트라나 교향악단은 보통 70~120명이 연주한다.

오케스트라는 파트별로 현악기제1바이올린, 제2바이올린, 비올라, 첼로, 콘트라베이스, 하프, 목관 악기피콜로, 플루트, 오보에, 잉글리시 호른, 클라리넷, 베이스 클라리넷, 바순, 콘트라바순, 금관 악기호른, 트럼펫, 트럼본, 튜바, 타악기팀파니, 큰북, 작은북, 트라이앵글, 탬버린, 심벌즈, 탐탐, 실로폰, 글로켄슈필, 건반악기피아노, 오르간, 첼레스타, 하프시코드로 이루어져 있다.

교향곡은 보통 네 악장으로 구성되며, 제1악장은 소나타 형식을 따르지만 엄격한 규칙은 아니어서 형식을 벗어난 곡도 많다.

요제프 하이든1732~1809은 106곡의 교향곡을 작곡해 '교향곡의 아버지'로 불린다. 하이든은 젊어서 한 곳에 정착하지 못하고 방황했는데 헝가리 귀족 '안톤 에스테르하지' 후작 집안의 관현악단 부악장, 악장으로 취임하면서 30년이 넘는 세월 동안 안정적으로 작곡에 전념했다. 고별 교향곡, 파리 교향곡, 토스토 교향곡, 도니 교향곡 등의 교향곡과 천지 창조, 사계와 같은 오라토리오는 후작 가문맥 악장으로 머물면서 만든 것이다.

이처럼 17~18세기의 교향곡은 관현악단과 작곡가를 고용할 수 있는 부유한 귀족, 왕실, 교회의 재원을 바탕으로 탄생했다. 하이든 이후에는 모차르트가 총 626편의 작품 중 60여 편을 교향곡으로 남겼으며, 베토벤은 총 722편 중 영웅Op. 55, 운명Op. 67, 전원 Op. 68, 합창Op. 125 등 9곡의 교향곡을 남겼다. 그 외 브람스, 말러, 브루크너, 베를리오즈, 차이콥스키, 시벨리우스, 쇼스타코비치가 교향곡 작곡가로서 사랑받고 있다.

EDM

댄스파티용 전자 음악

EDMElectronic Dance Music은 클럽이나 파티에서 춤을 추기 위해 트는 전자 음악의 총칭이다. 전자 음악, 댄스 뮤직과 종종 혼용돼 쓰이지만 전자 음악 가운데 댄스파티용으로 만들어진 게 EDM이다. EDM은 트랜스, 하우스, 테크노, 퓨처 베이스, 브레이크 비트, 드럼 앤 베이스, 덥 스텝, 개버, 트랩, 풋워크 등의 하위 장르를 포함한다.

보통 디제이가 여러 곡의 EDM을 믹싱하여 새로운 '인트로-절-빌드업-드롭'의 구성을 만들어 내며, 끊김 없이seamless 플레이하는 게 특징이다. 도입부인 인트로는 공박이라 하여 16마디 동안 음악 없이 리듬만 흘러나온다. 워밍업 단계라고 할 수 있다. 이어지는 절verse 파트는 보컬이 노래를 부르거나 멜로디만 연주되는 구간으로 잔잔한 분위기를 유지한다. 빌드 업Build Up은 한 마디로 EDM의 정체성을 갖는 구간으로 빠른 드럼 비트에 FX 음향 효과가 이어진다. 파티가 절정을 향해 달려가는 기분, 바로 그것이다. 마지막 드랍Drop은 강력한 비트가 쉴 새 없이 폭발하여 파티장을 열광의 도가니로 몰아넣는다.

EDM은 록과 힙합을 제치고, 전 세계에서 가장 인기 있는 페스티벌 음악으로 자리 잡았다. 울트라 뮤직 페스티벌UMF은 세계에서 가장 유명한 EDM 페스티벌로 매년 3월 미국 플로리다주 마이애미에서 열린다. 한국에서는 'Ultra Korea'라는 이름으로 서울 올림픽 주 경기장, 에버랜드 스피드웨이 등지에서 개최되고 있다.

2017년 기준 전 세계 EDM 시장 규모는 71억 달러약 8조원 이상으로 집계됐다. 인도네시아 발리, 태국 카오산 로드, 맥시코 칸쿤 내 휴양지 클럽을 방문하면 전 세계 젊은이가 터질 듯한 EDM 속에서 댄스파티를 즐기는 모습을 볼 수 있다. EDM 파티 전용 크루즈 여행 상품까지 출시될 정도다.

코로나19 확산으로 휴양지 클럽, 도심 클럽 할 것 없이 문을 닫는 분위기 속에서도 EDM만은 유튜브 배경 음악으로 그 생명력을 유지하고 있다. 한국의 경우 전통 음악에 EDM 트로피컬 사운드를 입힌 퍼포먼스 공연을 선보이고 있으며, 빌보드 차트 1위에 빛나는 BTS의 '다이너마이트'는 원래 밝고 경쾌한 디스코 팝이지만, EDM 버전으로도 추가 발매됐다.

빌보드 차트

Q   세계에서 가장 인기 있는 노래는

빌보드 차트The Billboard는 미국 음악 잡지 '빌보드'에서 매주 발표하는 음악 순위이다. 음악 순위 차트 중에서 가장 공신력을 인정받기 때문에 빌보드 차트에 이름을 올리는 것은 전 세계 대중음악인의 목표라고 할 수 있다.

빌보드 차트는 크게 '핫 100'과 '빌보드 200'으로 나뉜다. 핫 100은 가장 인기가 많은 곡을 선정하는 싱글 차트이고, 빌보드 200은 음반 판매량에 바탕을 둔 앨범 차트이다. '핫 100'은 한 주간의 음원 판매량, 스트리밍 수치, 유튜브 조회수, 라디오 방송 횟수가 평가 기준이고, '빌보드 200'은 앨범 판매량, 트랙별 판매량, 스트리밍 수치가 선정 기준이다.

빌보드 잡지가 탄생한 것은 1894년의 일이다. 도날드슨과 제임스 헤네건이 신시내티에서 창간할 당시 『빌보드』는 서커스, 카니발, 놀이공원, 보드빌, 민스트럴, 고래 쇼, 라이브 공연 같은 각종 정보를 싣는 업계지였다. 이후 영화, 라디오, 음악 보도로 영역을 확장해 나갔는데 음반 순위표를 발표하기 시작한 것은 1936년의 일이다. 초기에는 세 장르팝, 리듬 앤 블루스, 컨트리 앤 웨스턴로 나누어 순위를 발표하다가 1958년부터 통합 체제로 돌아섰다.

빌보드 역사상 가장 많은 곡을 '핫 100' 1위에 올린 가수는 20곡의 비틀즈, 2위는 19곡의 머라이어 캐리다. 가장 오랜 기간 1위를 차지한 가수는 82주라는 기염을 달성한 머라이어 캐리이고, 2위는 79주간의 엘비스 프레슬리다.

빌보드 200에서 가장 오랫동안 차트에 올라 있던 앨범은 핑크 플로이드의 'The Dark Side of the Moon'이다. 945주약 18년나 차트 안에 머물러 있었다. 최장 기간 1등을 한 앨범은 37주였던 마이클 잭슨의 'Thriller'. 방탄소년단BTS은 2020년 9월 '다이너마이트'로 2주 연속 '핫 100' 1위를 기록했고, 2021년 7월에는 '버터'로 7주 연속 1위를 기록한 후 역시 그들이 부른 '퍼미션 투 댄스'로 1위를 기록하는 진기록을 남겼다.

오페라와 뮤지컬

🔍 지적 자극의 시대에서 상업과 오락의 시대로

　오페라opera는 이탈리아어로 '작품'이라는 뜻으로 노래, 춤, 관현악이 어우러지는 음악극이다. 신화나 고전 문학이 극의 바탕이 되며, 연극성보다는 아리아, 중창, 합창 등 노래에 치중되어 있다. 출연자를 '가수'라고 부르는 것, 마이크 없이 목소리만으로 공연을 이어간다는 점이 뮤지컬과 다르다.

　뮤지컬musical은 노래, 춤, 대사가 어우러진다는 점에서 오페라와 유사하지만 지적인 자극보다는 재미 요소가 강하다. 다분히 오락적이고, 상업적이며, 대중적이다. 출연자를 '배우'라고 부르는 것, 마이크를 사용해 에코 감을 극대화시키는 점이 오페라와 다르다.

　오페라가 초연된 시기와 장소는 르네상스 시대 말엽인 1597년, 이탈리아 피렌체의 바르디Bardi 저택이다. 은행업으로 부를 쌓은 바르디 가문은 소문난 예술 애호가였는데 고대 그리스의 음악극을 재현하고자 귀족과 시인, 작가들을 불러 오페라 '다프네'를 무대에 올렸다. 피렌체에서 싹이 튼 오페라는 베네치아로 옮겨 가면서 전용 극장만 17개에 이를 정도로 크게 번성했다. 화려한 의상과 무대 장치, 규모 있는 악단, 서정성이 강한 아리아는 대중의 눈과 귀를 사로잡기에 충분했다.

18세기에 이르러 모차르트는 '후궁으로의 도주', '마술피리', '피가로의 결혼', '돈 지오바니', '여자는 모두 그런 것'을 남겨 오페라 역사에 획을 그었으며, 베토벤은 생애 단 한편의 오페라인 '피델리오'를 작곡했고, 베버는 독일 낭만 오페라의 효시인 '마탄의 사수'를 남겼다.

19세기 들어 로시니의 '세빌리아의 이발사', 도니체티의 '사랑의 묘약', 벨리니의 '몽유병의 여인', '노르마' 등 이탈리아 오페라가 인기를 끌었으며, 베르디는 오늘날까지 대중적인 인기를 얻고 있는 '춘희', '돈 까를로', '아이다'를 작곡했다. 바그너는 대본과 작곡을 모두 혼자 힘으로 소화해 낸 작곡가로 '트리스탄과 이졸데', '로엔그린', '탄호이저' 등의 대표작을 갖고 있다. 특히 '니벨룽겐의 반지'는 장장 4일간, 총 15시간의 공연 시간을 요하는 사상 최대의 작품으로 꼽힌다.

뮤지컬은 이렇다 할 오페라 작곡가를 배출하지 못했던 영국에서 출발했다. '작은 오페라'를 뜻하는 '오페레타'가 기원이라는 말이 있을 정도로 뮤지컬은 오페라와 형식적으로 비슷하다. 영국에서 희극과 춤, 노래, 미녀들을 동원한 '뮤지컬 코미디'가 성공하자 미국에서 바로 수입해 가는데 제1차 세계 대전과 대공황으로 심신이 피폐해져 있던 대중들은 이 낙천적이고 유쾌한 음악극에 열광하게 된다. 특히 2차 세계 대전 이후에 만들어진 '아가씨와 건달들', '왕과 나' 등은 브로드웨이를 뮤지컬의 성지로 격상시키는 역할을 했다.

'캣츠', '레미제라블', '미스사이공', '오페라의 유령'은 영국 웨스트엔드 제작자인 카메론 매킨토시Cameron Mackintosh가 1980년대에 제작한 메가 뮤지컬로 'Cameron Mackintosh's Big Four'로 불린다.

푸가

🔍 연주용 돌림 노래

푸가fuga는 기악적 돌림 노래로 작곡 기법 중 대위법에 속한다. 푸가는 이탈리아어로 '도주'를 의미하는데 한 성부가 다른 성부의 선율을 모방하는 것이 마치 쫓고 쫓기는 것 같다고 하여 이렇게 이름 지어졌다. 우리말로는 둔주곡遁走曲, 추복곡追覆曲으로 번역된다. 한편, 대위법對位法은 두 개 이상의 독립적인 선율이 조화롭게 배치되어 하나의 곡을 완성하는 작곡 기술이다. 푸가, 카논, 돌림 노래가 이에 해당된다.

3성 푸가의 경우 제1성부가 주제를 제시하면 제2성부가 응답 선율을 연주한다. 그러는 동안 앞의 성부는 선율을 계속 이어 간다. 각 성부가 돌아가면서 한 번씩 주제 선율을 연주하고 나면 제1의 전개부가 끝난 것이다. 이어 간주부가 이어지고 곧 제2의 전개부가 시작된다. 두 번째 전개부중간부는 1부와 같은 패턴을 갖되 조를 바꾸어 나타난다. 마지막 전개부는 종결부라 하며, 주제가 다시 으뜸조로 돌아가 곡을 끝맺는다.

푸가는 대위법 가운데 가장 복잡한 기교를 갖는데 가령 주제의 음표 길이를 2배로 확대하거나 반으로 축소하며, 주제의 자리 바꿈, 역행 등의 기법을 사용한다.

음악사를 통틀어 최고의 푸가 작곡가는 요한 세바스티안 바흐로 「오르간을 위한 작은 푸가BWV 57」, 「평균율 클라비어곡집BWV 846~893」, 「푸가의 기법BWV 1080」, 「토카타와 푸가 라단조BWV 565」 등의 작품이 있다. 모차르트도 「두 개의 피아노를 위한 푸가 다단조KV 426」에서 푸가를 선보였으며, 베토벤은 「대 푸가Great Fugue in B flat major. op.133」에서 푸가 기법을 뽐냈다.

미장센과 몽타주

Q   시각적 연출이냐, 편집의 마술이냐

   미장센Mise-en-Scène은 영화 연출에 있어 화면상의 디자인적인 측면을 일컫는다. 프랑스어로 '무대 위에 배치함'이라는 뜻이다. 영어로는 Putting on Stage. 감독은 등장인물의 역할과 동작, 소품, 무대 장치, 조명, 카메라 위치, 촬영 각도 등을 어떻게 배치해야 자신의 의도를 관객에게 잘 전달할 수 있을지 시각적인 면에서 고려하게 된다. 미장센은 화면상의 미학을 추구하므로 정적인 화면, 롱 테이크, 딥 포커스에서 효과가 극대화된다.

   프리츠랑의 『메트로폴리스』1927, 장 르누아르의 『게임의 규칙』 1939, 오슨 웰스의 『시민 케인』1941이 미장센 영화로 유명하다.

   한때 영화계는 '몽타주 파'와 '미장센 파'로 나뉘었는데 몽타주 montage란 프랑스어로 '조립'을 의미한다. 말 그대로 따로 촬영된 짧은 쇼트를 이어 붙여 새로운 장면이나 내용을 만드는 연출 기법이다. 그 자체로서는 별다른 예술성을 가지지 않는 컷들이 배열, 구성, 조립을 통해 영상미를 획득하는 게 몽타주다. 한 마디로 편집의 마술이라고 할 수 있다.

1930년대부터 몽타주 시퀀스는 페이드, 디졸브, 화면 분할, 트리플 노출 등 광학 효과를 이용한 수많은 짧은 샷들을 병합하며 발전했다. 소련의 영화감독 세르게이 에이젠시테인1898~1948은 몽타주 이론을 확립한 인물이다. 『전함 포템킨』1926은 한국에도 잘 알려진 그의 대표작이다.

데포르마시옹

Q   미술 기법으로서의 왜곡

데포르마시옹déformation은 미술 용어로 변형, 왜곡을 뜻한다. 데포르메라고도 한다. 회화 작품의 특성상 작가가 대상을 화폭에 옮기는 과정에서 왜곡은 자연스러운 현상이다. 특별히 데포르마시옹이라고 하면 자연스러운 왜곡이 아니라 고의적인 왜곡을 뜻한다.

현존하는 데포르마시옹 중 가장 오래된 것은 2만5천 년 전 제작된 것으로 추정되는 빌렌도르프의 비너스 상이다. 1908년 오스트리아 빌렌도르프 근교의 구석기 시대 지층에서 발견되었다. 신장 11.1cm의 이 작은 조각상에 비너스라는 이름이 붙은 것은 여신 비너스처럼 미의 상징성을 지니고 있기 때문이다. 커다란 유방, 굵은 허리, 불룩한 배, 풍만한 하체는 풍요의 상징이자 당대 아름다움의 기준이었을 것이다.

아프리카 미술은 문명 세계와 접촉하지 않은 상태에서 그들만의 독자적인 예술 영역을 개척했다. 말리 공화국의 도곤족Dogon은 종교 의식 때 가면춤을 추는데 이때 사용되는 가면은 입체파

회화를 연상시킬 만큼 3차원적으로 왜곡되어 있다. 마을 공동체의 이상과 기대를 골고루 반영해야 했기에 이런 가면이 탄생했다고 한다.

그러나 작가가 예술적 기법으로서 데포르마시옹을 사용한 것은 폴 세잔1839~1906 이후의 일이다. 세잔은 자연을 단순화시키면 기하학적인 도형이 된다는 사실에 흥미를 느끼고 과일은 구, 나무는 원기둥 등으로 사물을 왜곡하고 변형했다. 세잔의 뒤를 이어 뭉크, 키르히너, 모딜리아니, 피카소 등이 데포르마시옹으로 이름을 떨쳤다.

개념 미술

Q 작가의 의도가 예술이다

　개념 미술conceptual art은 '작가의 의도'를 재료로 하는 미술로, 회화와 조각의 전통적인 기술을 실천하지 않는 모든 현대 미술의 총칭이다. 심지어 개념 미술은 지적으로 숙고됨으로써 미적인 보상을 제공할 수 있다면 굳이 현실에서 창조될 필요가 없다는 데까지 나아간다.

　미술품을 제작하는 과정이 생략되고 콘셉트만 존재하다 보니 작품을 발표하는 공간도 전시회장이 아닌 잡지 지면일 때가 많으며, 인간이 생각할 수 있는 모든 것을 예술이라 칭한다는 점에서 미술보다 문학에 더 가깝게 느껴지기도 한다.

　개념 미술의 길을 닦은 사람은 프랑스의 마르셀 뒤샹이다. 그는 1917년 기성품인 변기에 '샘'이라는 제목을 달아 '독립 미술가 협회' 전시회에 출품했다. 그리고 마치 남의 작품인양 '머트Mutt 씨가 그것을 직접 만들었는지 아닌지는 중요하지 않다. 그는 그것을 선택했다. 일상의 평범한 사물이 실용적인 특성을 버리고 새로운 목적과 시각에 의해 오브제에 대한 새로운 생각으로 창조

된 것.'이라는 비평을 달았다.

이후 이 작품은 예술과 예술가는 무엇인지에 대해 큰 논쟁을 불러 일으켰다. 예술가는 장인처럼 직접 작품을 만들어야 하는지, 자기 발상에 맞는 사물을 선택하기만 해도 되는지, 과연 예술 작품을 예술로 인증해 주는 사람은 예술가 자신이기만 하면 되는지, 관객인지, 예술기관인지…….

『미학 스캔들』의 저자인 진중권은 조영남 미술 대작 사건과 관련해 '현대 미술에 대한 몰이해가 빚어낸 소극笑劇'이라며 "작품의 물리적 실행을 조수에게 맡기는 것은 서양 미술의 관례로 자기 손으로 직접 작품을 그리거나 만드는 것은 더는 예술의 필수 요건으로 여겨지지 않는다."고 못 박았다.

개념 미술의 관점에서 볼 때 예술가는 작품에 대한 계획을 세운 후, 자기 발상에 맞는 물건오브제을 선택하는 것이 중요할 뿐, 기술적 요소는 단지 작가의 발상을 전달할 때 필요한 수단에 불과하다는 것이다.

대표적인 개념 미술가로 미국의 조셉 코수스Joseph Kosuth, 솔 르윗Sol LeWitt, 로렌스 위너Lawrence Weiner, 아트 앤드 랭귀지 그룹이 있다.

프랙탈과 테셀레이션

〇 자연물은 반복을 좋아한다

　프랙탈fractal은 일부분이 전체와 비슷한 형태를 갖는 기하학적 구조를 일컫는다. 번개, 고사리 잎, 브로콜리, 나뭇가지, 리아스식 해안과 같은 자연물이나 주식 그래프 같은 수학적 분석에서 종종 발견된다.

　망델브로 집합을 그림으로 그리면 생강에 잔뿌리가 달린 것처럼 보이는데 화면상의 어떤 점을 누르면 그 점을 중심으로 자기 복제를 한 것처럼 작은 도형이 끝없이 생성된다. 이 도형은 무한 반복되기에 보통 특정한 n값을 정한 뒤 그 값까지만 계산한다. n이 클수록 그림은 더욱 세밀해진다.

　만델브로트Benoit Mandelbrot는 프랙탈이라는 용어를 만들어 낸 장본인으로 세상에 '영국의 해안선 길이는 얼마일까?' 하는 물음을 던졌다. 영국 해안선은 꼬불꼬불한 리아스식 해안이다. 해안선을 구성하는 것은 더 작은 꼬불꼬불한 해안선이다. 해안선의 일부를 확대하면 영국 전체 해안선의 형태와 유사한 것을 알 수 있다. 당연히 10마일 단위로 잰 것이 100마일 단위로 잰 것보다

길 수 밖에 없다. 만약 밀리미터mm나 마이크로미터μm 수준의 아주 세밀한 단위로 잰다면 영국 해안선은 지구를 몇 바퀴 돌고도 남을 만큼 길어질지도 모른다. 인체의 모세혈관을 전부 이으면 서울에서 부산까지 여덟 번이나 왕복6,000km 한다고 한다. 혈관 역시 프랙탈이다.

프랙탈과 헷갈리기 쉬운 이론으로 테셀레이션이 있다. 테셀레이션tessellation은 기하학적 패턴이 겹쳐짐 없이 평면을 메우는 것을 말한다. 창살이나 타일, 보도블록, 벽지에서 볼 수 있는 쪽매붙임이 바로 테셀레이션이다. 모리츠 코르넬리스 에셔Maurits Cornelis Escher는 프랙탈 작가로 종종 오해받는데 수학적 비율을 이용해 평면을 빈틈없이 메웠다는 점에서 테셀레이션 화가가 맞다. 정리하자면 테셀레이션은 대칭 이동, 평행 이동, 반복, 회전이 특징이고 평면상의 빈틈을 허용하지 않는다, 프랙탈은 자기 유사성, 반복이 특징으로 평면을 메우는 것과는 상관이 없다.

매그넘 포토스

Q 20세기 포토저널리즘을 대표하다

매그넘 포토스Magnum Photos는 1947년에 설립된 보도 사진작가 그룹이자 사진 통신사이다. 스페인 내전의 참상을 포착한 '쓰러지는 병사'로버트 카파, 결정적 순간이라는 단어를 탄생시킨 '생 라자르 역 뒤에서'앙리 카르티에 브레송 등의 사진에서 볼 수 있듯 매그넘은 20세기 포토저널리즘을 대표해 왔다.

매그넘은 라틴어로 '크다'는 뜻이다. 앙리 카르티에 브레송, 로버트 카파, 데이비드 시무어, 조지 로저 4명이 주축이 되어 시작됐다. 포토저널리즘의 자율성을 보장받기 위한 취지에서 설립된 만큼 70년이 넘은 지금까지 협동조합 형태로 운영되고 있다. 이들의 창립 이념은 '세상을 있는 그대로 기록한다'지만 보도 사진을 넘어 위대한 사진 예술의 세계를 보여 준다.

매그넘은 회원 가입이 까다롭기로 유명하다. 2019년 현재 50명의 회원이 있으며, 아시아권에서는 일본 구보타 히로지 정도가 회원이고, 한국은 아직 후보 회원조차 배출하지 못했다. 다만 2008년 7월~8월 '예술의 전당 한가람 미술관'에서 '매그넘이 본 한국' 전시회가 열렸다.

퓰리처상

기자들의 노벨상

    퓰리처상Pulitzer Prize은 매년 미국 내 언론, 문학, 음악 분야 21개 부문에서 가장 높은 기여를 한 사람에게 주는 상이다. '기자들의 노벨상'이라 불릴 정도로 언론인에게 영광스러운 상이지만 작가가 미국인이거나, 미국과 관련된 작품에만 수상이 한정된다.

    조지프 퓰리처1847~1911는 헝가리 출신 미국인으로 생전에 약자의 편에서 기사를 써 신문왕, 칼날 기자, 위대한 언론인으로 불렸다. 그는 컬럼비아 대학교에, 저널리즘 대학을 신설해 달라는 유언과 함께 상과 장학금에 사용될 막대한 재산을 남겼다. 이에 1917년 50만 달러의 기금으로 퓰리처상이 출발했다.

    퓰리처상 가운데 큰 화제 몰이를 한 사진으로 1950년 맥스 데스퍼가 한국 전쟁의 참상을 알린 '무너진 다리를 건너 탈출하는 피난민들', 1945년 조 로젠탈이 촬영한 '이오지마의 성조기', 1972년 닉 웃이 베트남 전쟁 한복판에서 옷 벗고 달리는 소녀를 찍은 '소녀의 절규' 등이 있다. 1993년 케빈 카터는 아프리카의 식량난에 큰 반향을 일으킨 '수단의 굶주린 소녀'를 촬영했는데 카메라를 잡고 있을 게 아니라 독수리로부터 소녀를 구했어야 했다는 비난을 못 이기고 자살했다.

　문학 부문에서는 1998년 제레드 다이아몬드가 인류 문명의 불평등이 어디서 기원했는지를 추적한 『총, 균, 쇠』로 퓰리처상을 수상했으며 아트 슈피겔만은 홀로코스트를 사실적으로 묘사한 만화 『쥐』로 1992년 퓰리처상을 수상했다.

　퓰리처상은 특히 저널리즘 분야에 14개의 메달이 집중되어 있다. 공공 서비스, 속보 보도, 특집 보도, 탐사 보도, 해설 보도, 지역, 국내, 국제 보도, 논평, 비평, 사설, 만평, 속보 사진, 특집 사진이 그것이다. 문학은 픽션, 연극, 역사, 전기자서전 포함, 시, 일반 논픽션의 6개 분야에서, 음악은 1개 부문에서 수상이 이루어진다. 퓰리처상은 뉴욕시에 위치한 컬럼비아 대학교 언론대학원 퓰리처상 선정 위원회가 주관한다.

아카데미상

Q   24개 부문 중 11개를 싹쓸이 한 수상자는?

아카데미상Academy Awards은 전년도 미국에서 상영된 영화 가운데 가장 우수한 작품에 수여되는 상이다. 미국의 영화인 단체 영화 예술 과학 아카데미AMPAS가 매년 2월 중에 수여한다. 오스카상the Oscars이라고도 한다.

국제 영화제인 칸, 베를린, 베니스가 상업성 이전에 예술적 독창성을 중요시한다면, 아카데미상은 대중성을 배제하지 않은 상태에서 작품의 완결성과 예술적인 요소까지 살피는 게 특징이다. 시상식이 개최되는 장소는 미국 캘리포니아주 LA '돌비 극장'. 제1회 아카데미 시상식은 1929년 5월 할리우드 루스벨트 호텔에서 열렸다.

수상자에게는 높이 34㎝, 무게 3.9㎏의 황금빛 트로피가 주어지는데, 트로피는 기다란 검을 두 손으로 짚고 있는 한 남자의 나신상이다. 이 남자의 이름이 '오스카'여서 아카데미상을 오스카상이라고도 부른다. 누가 왜 언제부터 그를 오스카라고 부르기 시작했는지에 대해 이런저런 설이 있지만 확실하지 않다. 트로피의 금전적 가치는 약 500달러약 60만 원. 수상자에게 트로피 말고 따로 주어지는 상금은 없다. 하지만 아카데미상을 수상했다는 사실만으로 해당 영화는 많은 관객을 끌어 모으므로 수상자는 상금을 챙긴 것이나 다름없다.

아카데미상은 총 24개 부문에 수여되는데 그중 '작품상, 감독상, 남우 주연상, 여우 주연상, 각본상'을 BIG 5라고 하고, 여기서 각본상을 뺀, 나머지 네 개를 '그랜드 슬램'이라고 한다. 이제까지 BIG 5를 거머쥔 영화는 『어느 날 밤에 생긴 일』1935, 『뻐꾸기 둥지 위로 날아간 새』1976, 『양들의 침묵』1992 세 작품뿐이다.

가장 많은 상을 탄 영화는 1959년 『벤허』, 1997년 『타이타닉』, 2003년 『반지의 제왕: 왕의 귀환』으로 각각 11개 부문에서 수상했다.

봉준호 감독의 '기생충'은 2020년에 열린 92회 아카데미 시상식에서 미술상프로덕션 디자인, 편집상, 국제영화상, 각본상, 감독상, 작품상 총 6개 부문 후보로 지명되어 작품상, 감독상, 각본상, 국제영화상 4개 부문에서 수상했다.

한편 2021년, 93회 아카데미 시상식에서는 윤여정 배우가 영화 『미나리』로 한국인 최초 여우조연상을 수상했다.

19금

🔍 미성년자 관람 불가? 연소자 관람 불가? 청불?

'19금'이라 함은 19세 이상만 볼 수 있는 영상물을 뜻한다. 한국에서는 영화 및 비디오물, TV, 게임 및 웹툰, 뮤직비디오에 대해 내용 및 표현 정도에 따라 등급을 정해 두고 있다.

영화의 경우 전체 관람가, 12세 이상 관람가, 15세 이상 관람가, 청소년 관람 불가, 제한 관람가로 총 5개 등급이 있다. 이 중 청소년 관람 불가약칭 '청불'가 소위 '19금'이다. 청소년의 기준은 만 18세 미만으로 고등학교에 재학 중인 모든 학생을 포함한다.

재밌는 것은 학생이 아니라면 18세 이상은 해당 영상물을 봐도 무방하다는 점이다. 1970년 이전까지 20세 미만이 청불이었던 것을 보면 성인의 기준이 점점 어려지고 있는 것을 알 수 있다.

청불은 이름이 여러 번 바뀌었다. 시대를 달리하며 미성년자 관람 불가, 연소자 관람 불가, 18세 관람가로 지칭되어 오다가 2006년부터 '청소년 관람 불가'로 확정됐다.

TV의 경우 전체 시청가, 7세 이상 시청가, 12세 이상 시청가, 15세 이상 시청가, 19세 이상 시청가로 5개의 등급이 있다. 프로그램의 주제, 폭력성, 선정성, 언어 사용, 모방 위험 우려 등을 종합적으로 판단하여 방송 사업자가 방송 통신 심의 위원회의 사전 심의를 거쳐 의무적으로 등급을 매긴다.

선정성에 있어 '19금' 등급은 신체 노출이 부각 또는 강조되거나 반복적으로 표현된 것, 성적 신체 접촉이 상세하거나 자극적으로 표현된 것, 성적 언급이 구체적으로 표현된 것들이 해당된다. 폭력성에 있어서는 타인에 대한 신체적 가격이나 무기류를 이용한 폭력이 사실적으로 상세하게 묘사되었거나 반복적으로 표현된 것, 유혈이나 신체 훼손 등의 표현이 상세하거나 반복적으로 묘사된 것 등에 19금 판정을 내린다.

언어에 있어서는 사회 통념상 용인되는 수준의 욕설이나 비속어, 은어, 조어 등이 반복적으로 표현되지 않은 것, 시청자의 불쾌감을 조장하는 자극적이고 모욕적인 억양이나 어조 등의 사용이 있는 것이라는 단서를 달고 있다.

모방 위험에 있어 음주, 흡연, 약물, 자살, 도박 등이 사실적이고 반복적으로 표현된 것, 범죄 수단과 흉기의 사용 방법 등과 관련된 표현이 사실적으로 상세하게 묘사된 것, 청소년 대상 학교 내 집단 폭력이나 따돌림, 비행 행위 등이 구체적이고 반복적으로 표현된 것 등이 19금에 속한다.

TV는 '안방극장'이라는 별명이 있듯 가족 구성원을 대상으로 하기 때문에 영화에 비해 심의가 엄격한 측면이 있다. JTBC『부부의 세계』는 19금 등급 드라마로 프라임 시간대가 아닌 밤 11시에 방영하여 최고 시청률 28.3%닐슨 코리아라는 기록을 남겼다.

OTT

휴대폰으로도 보고, TV로도 보고

OTTOver The Top는 하나의 콘텐츠를 여러 개의 기기에서 연속으로 즐길 수 있는 서비스를 의미한다. N 스크린이라고도 한다. 대표적으로 넷플릭스, 유튜브가 있으며 국내의 경우 이동 통신 3사의 모바일 IPTV, 티빙, 에브리온 TV를 들 수 있다.

스마트폰, 태블릿 PC, 노트북, 스마트 TV 등 디지털 기기가 다양해지면서 많은 사람이 OTT 서비스를 이용하고 있다. 여기서 Top이란 TV 셋톱 박스 같은 단말기를 의미한다. 넷플릭스 초기엔 TV 셋톱 박스를 통해 영화, TV 프로그램 등을 VOD주문형 비디오 방식으로 제공했다. 그러다가 셋톱 박스마저 필요 없는 지금의 OTT 시대가 열린 것이다.

저렴한 비용으로 이용할 수 있는 OTT 서비스가 활성화되면서 불법 다운로드가 감소하는 긍정적인 효과가 발생했다. 넷플릭스, 유튜브 등은 퇴근길 휴대폰으로 보던 영상을, 집에 와서 PC나 TV로 이어 볼 수 있다는 장점이 있다. 사용 내역을 토대로 맞춤형 콘텐츠를 추천해 주는 것은 덤이다.

한편 IPTVInternet Protocol Television는 원하는 시간에 텔레비전 방송을 시청할 수 있는 시스템을 말한다. VOD는 물론이고 정보 검색, 쇼핑, VoIPVoice over Internet Protocol, 인터넷 전화 등과 같은 인터넷 서비스를 부가적으로 제공한다.

루틴

매일 매일이 똑같은 게 좋아

　루틴Routine은 매일 반복해서 실행하는 특정한 행동을 말한다. 직역하면 '일상' 혹은 '틀에 박힌 일'이라는 뜻으로 부정적인 느낌이 없지 않지만 '성공한 사람들의 루틴' 등의 문구에서 볼 수 있듯 실제로는 '그 사람이 지켜 나가는 고유한 일상'이라는 뜻의 긍정적인 의미로 쓰인다.

　루틴과 비슷한 단어로 리추얼Ritual이 있다. 의식儀式을 뜻하는 리추얼은 습관적인 행동을 되풀이함으로써 정서적으로 편안함을 얻는 일이다. 대개 창작자들은 그들만의 리추얼을 갖고 있다.

　소설가 김동리 선생은 아침에 일어나면 프림 커피를 진하게 타서 마시는 습관이 있었다. 이것은 단순히 반복되는 지루한 일상과 다른 것이다. 이것은 김동리 선생만의 고유한 일상이요, 하루를 시작하는 의식이다.

　시인 오든은 아침 6시에 이러나 커피를 내린 다음 곧바로 십자 말풀이를 한 줄 풀고는 글 쓰는 작업을 시작했다. 그는 군대 조직처럼 시간표에 일상을 맞춤으로써 창조력을 발휘할 수 있다고 믿었다. 시간을 엄격하게 다스려야 창작에 전념할 시간이 생긴다는 것이다. 이것이 리추얼이다. 리추얼은 종교 의식을 떠올리게 한다. 리추얼에는 신성함이 깃들어 있다.

방송인 오프라 윈프리는 하루도 빠짐없이 명상을 하고 일기를 쓴다. 이것은 의지를 필요로 하는 일이다. 투자가 워런 버핏은 매일 아침 서너 종의 신문을 꼼꼼히 읽는다. 배우 하정우는 매일 아침 러닝머신에서 1만 보쯤 걷는다. 이처럼 확고한 의지가 필요한 일이 루틴이다.

루틴과 리추얼의 결정적인 차이는 '의지력'에 있다. 루틴은 매일 반복되는 일상의 지루함을 견디고 삶을 수련의 경지로 끌어올리는 것이다. 루틴에는 자기 극복이라는 '의지'가 담겨 있다. 반면 리추얼은 그렇게 하지 않으면 안정을 얻지 못할 만큼 특정한 행동이 패턴화된 것을 의미한다. 즉 '중독'의 의미가 있다. 그런 점에서 루틴과 리추얼은 반대어일 수 있다.

함께 읽기 | 메이슨 커리 『리추얼』

문화예술 33

모모꼬

🔍 　사람보다 더 사람 같은 패션 인형의 세계

　모모꼬는 육일돌사람의 1/6 비율로 만들어진 인형의 하나로 일본에서 유행하기 시작한 패션 인형이다. 1/6 비율을 처음 채택한 것은 '바비 인형'이었다. 27cm라는 신장은 부담스럽지 않으면서 패션의 디테일을 충분히 표현할 수 있는 크기여서 전 세계 인형의 표준이 되었다.

　모모꼬 덕후들은 이 인형의 다양한 버전을 수집할 뿐만 아니라 직접 옷을 만들어 입히고 머리를 연출하는 열성을 보인다. 이들은 과시적으로 직접 연출한 모모꼬 사진을 SNS에 올리는데 각국의 전통 의상부터 속옷, 드레스, 니트, 스타킹 등 사람이 입는 옷 대부분을 창작한다. 직접 뜨개질을 하고 바느질을 해서 만든 의상들은 실제 옷이라고 해도 믿길 만큼 정교하고 섬세하다.

　모모꼬와 바비 인형의 차이점은 관절의 유무에 있다. 모모꼬는 앉고, 구부리고, 서는 것이 자유롭다. 바비 인형의 얼굴이 성숙하고 서구적이라면, 모모꼬는 동양미와 서양미가 반반씩 섞여 있는 데다 호기심 가득한 소녀의 표정을 하고 있어 보다 친근한 느낌이다. 가격상으로도 모모꼬가 바비 인형의 10배가량 비싸다. 인기 있는 버전은 출시되기가 무섭게 팔려 나가 수집가의 애를 태우기도 한다. 모모꼬와 경쟁 중인 육일돌로 루루코, 블라이스 인형 등이 있다.

아미

Q   BTS를 위한 총공격

아미는A.R.M.Y는 보이 그룹 방탄소년단BTS의 공식 팬덤 명칭이다. 육군, 군대라는 뜻으로, '방탄소년단'과 조응하는 작명이다. 아미는 'Adorable Representative M.C for Youth'의 뜻도 가지고 있다. 해석하면 젊은이를 위한 사랑스러운 대변인 MC진행자, 래퍼. 프랑스어로 아미ami는 친구를 뜻하기도 한다.

아미의 공식 인원은 150만 명가량. 연구자들은 공식, 비공식 팬을 합쳐 한국에 300만 명, 외국에 300만 명의 BTS 골수팬이 있을 것으로 추산하고 있다. 국내 팬은 BTS의 해외 팬을 지칭해 '외국'과 '사랑둥이'를 조합한 '외랑둥이'라고 부른다.

K팝 팬덤은 적극적인 서포트 행위가 특징인데 아미 역시 BTS의 신곡이 나오면 잠도 안자고 밤새 유튜브를 시청한다. 이를 '총공총공격', '숨밍숨 쉬듯 스트리밍'이라고 한다. 이렇게 하면 신곡이 한동안 음원 실시간 차트 최상위권에 떠 있게 된다. 2018년 총공을 통해 24시간 동안 4500만 뷰를 달성하자 유색 인종에 인색한 것으로 유명한 '그래미'도 2년 연속 BTS를 초청하기에 이르렀다.

아미가 다른 팬덤과 차별화되는 지점은 '체험 팬덤'이다. 체험 팬덤이란 팬 활동이 단순한 응원을 넘어 역동적인 체험으로 연결되는 것을 말한다. BTS는 지명도가 올라가기 시작하자 대중에게 선한 영향력을 미치는 것을 목표로 '너 자신을 사랑하라'는 메시지를 지속적으로 전달했다. 이런 성장 서사를 공유하면서 BTS와 함께 자라난 이들이 아미인 것이다. 백인 팬 중에는 방탄으로 인해 다양성, 마이너리티에 대해 존중하는 마음을 갖게 됐다고 말하는 사람들이 적지 않다.

아미의 충성도는 빌리버스저스틴 비버의 팬클럽, 스위프티스테일러 스위프트의 팬클럽에 필적한다. 미국 일간지 『워싱턴포스트』지는 '방탄소년단의 성공은 아미 없이는 불가능했을 것'이라고 언급했다. 2017년 미국 50개 주 아미 연합BTSX50States이 보수적인 지역 라디오 방송국을 움직여 방탄 노래를 틀도록 한 일화는 유명하다.

아미를 말할 때 굿즈 '아미밤'을 빼놓을 수 없다. 아미밤Army bomb은 방탄소년단 공연 때 사용하는 팬라이트 응원봉으로 수류탄 모양을 하고 있다. 한편 아미 각 기수마다 진행하는 방탄소년단의 팬미팅을 머스터Muster라고 한다. 머스터는 영어로 '모이다', '소집하다'라는 뜻이 있다.

팬데믹

🔍 인류와 미생물 간에 벌어지는 세계 대전

팬데믹pandemic은 전염병이나 감염병이 범지구적으로 유행하는 것을 말한다. 그리스어로 '팬'은 전부를, '데믹'은 사람을 의미한다. 모든 사람이 전염된다는 뜻으로 세계보건기구WHO가 공식 발령한다. 가장 최근에 선언된 팬데믹은 '코로나 바이러스 감염증-19COVID-19'이다. 19라는 숫자는 이 바이러스가 최초로 발견된 시기가 2019년이라는 뜻.

WHO는 전염병 경보를 내릴 때 아래와 같이 6단계로 구분한다. 그중 가장 심각한 수준인 6단계가 팬데믹이다.

등급	위험 내용
1	동물간 전염, 사람은 안전함
2	동물간 전염, 사람도 전염 가능성 의심
3	동물간 전염, 사람 전염 확인
4	사람간 전염 확인(초기 상태)
5	동물간 전염, 사람간 대량 전염 확인(지역/국가 수준)
6	동물간 전염, 사람간 대량 전염 확인(전세계 수준)

'코로나19' 이전에 발령된 팬데믹은 2009년 전 세계를 공포에 몰아넣었던 신종 인플루엔자AH1N1였다. 총 214개국에서 환자가 발생해 1만 8,500명이 숨졌다. 한편 '코로나19'는 2021년 6월 말 기준, 221개국에서 환자가 발생해 누적 확진자 수가 1억 8천만 명을 초과했으며 사망자가 400만 명을 넘어섰다.

팬데믹의 기준은 범위이다. 아무리 많은 사람이 감염돼도 일부 국가에서만 발생한다면 팬데믹으로 분류하지 않는다.

팬데믹은 인간과 바이러스 사이에서 벌어지는 생태학적 균형의 한 과정으로 이해할 수 있다. 낯선 몸을 만난 바이러스와, 낯선 바이러스를 만난 인체가 상대를 탐색하는 과정에서 발생하는 것이 팬데믹이다. 팬데믹은 해당 미생물에 대한 인간의 적응 여부가 관건으로 인간이 자연 면역으로 미생물을 방어하기까지 일정 시간을 필요로 한다.

미생물은 미생물대로 독력을 약화시킴으로써 인간과 공존할 방법을 모색하는데 미생물과 인류가 공존의 길을 찾은 예로 콜레라, 인플루엔자, 에이즈를 들 수 있다. 항생제, 항바이러스제가 속속 개발된 것도 있지만 독력이 떨어진 상태의 병원균, 바이러스가 인간을 찾아오면서 치명적인 피해가 줄어든 것이다.

그렇다고 속수무책으로 이 만남의 회오리가 지나가길 기다릴 수만은 없다. 한번 휘몰아칠 때마다 수많은 인명 피해가 발생하므로 국가적으로 팬데믹 상황을 통제하는 것이 최선책이다. 대한민국은 2020년 연말부터 이듬해까지 '수도권 거리 두기 2.5단계'를 발효하여, 5인 이상 사적 모임 금지, 학원·실내 체육 시설·노래

연습장 등 집합 금지 업종의 영업 제한, 방문 판매 제한, 식당 영업시간 제한 등을 실시했다.

2020년 말, 세계적으로 코로나 백신 접종이 시작되었고 우리나라도 2021년 2월부터 백신 접종에 들어갔다. 그러나 알파, 베타, 감마, 델타로 불리는 변이 바이러스가 속출하면서 코로나 완전 정복의 시기가 불확실해진 형편이다.

텔로미어

수명의 비밀을 밝히는 열쇠

텔로미어telomere는 말단 소립이라는 뜻으로 유전체게놈 말단에 캡처럼 붙어 있다. 그리스어의 끝τέλος, telos과 부위μέρος, meros의 합성어다. 텔로미어의 길이를 분석하면 인체의 수명을 알 수 있기 때문에 '생체 타이머'로 불린다.

세포는 분열을 통해 자기 증식을 하는데 낡은 세포는 죽는 대신 새 세포가 태어나기를 반복한다. 이 때 유전체게놈 말단에 붙어 있는 텔로미어가 세포 복제 시 유전자가 소실되는 것을 막는다. 하지만 텔로미어 자신은 완벽하게 재생되지 못하고 점점 짧아지는데 텔로미어가 다 닳아 없어지면 인체는 수명을 다하게 된다. 텔로미어 없이 세포는 자기 복제를 할 수 없기 때문이다. 노화 유전자, 장수 유전자라는 말은 사람마다 다른 텔로미어의 길이를 이르는 말이다.

2009년 블랙번61세, 캐럴 W. 그리더48세, 잭 W. 쇼스택57세 교수가 텔로미어와, 텔로미어 생성 효소인 '텔로머라아제'의 염색체 보호 기능을 밝혀낸 공로를 인정받아 노벨 생리의학상을 수상했다.

텔로머라이제는 텔로미어의 생성에 관여해 노화를 방지하는 일을 하는 반면 암세포가 분열하도록 돕는 작용도 있다. 세포의 개념으로 볼 때 노화는 텔로미어가 짧아지는 것이고, 암은 텔로미어가 무한 증식되는 것이기 때문이다. 그래서 인위적으로 텔로머라아제를 인체에 투여하는 것은 매우 위험한 일로 간주된다.

암도 방지하고 노화도 방지하기 위해서는 세포의 텔로미어가 짧아지는 속도를 자연스럽게 늦추어 주는 게 좋다. 텔로미어 길이는 스트레스, 흡연, 식사, 운동 습관 등 생활 습관과 깊은 연관이 있다. 특히 스트레스를 많이 받으면 활성 산소가 증가해 세포의 기능이 약화될 뿐만 아니라 텔로미어의 길이가 줄어드는 속도가 빨라진다.

고생을 많이 한 사람은 외형적으로 늙어 보이는데 실제로 텔로미어 길이가 짧을 가능성이 높다. 피할 수 없으면 즐기라는 말이 있다. 전문가들은 스트레스를 이기려면 스트레스를 위협으로 받아들이기보다 도전의 계기로 삼으라고 조언한다. 마음먹기에 따라 스트레스는 노화의 원인이 될 수도, 장수의 기회가 될 수도 있다는 이야기다.

가맥

Q 가게 맥주 혹은 가정용 맥주

가맥은 가게 맥주 혹은 가정용 맥주의 줄임말이다. 1980년대 전주에서 태동했다고 알려졌지만 슈퍼 앞 평상이나 간이 테이블에 앉아 맥주 한 캔을 홀짝이는 문화는 전국 어디에나 있었다. 그럼에도 전주 가맥이 독보적 권위를 인정받게 된 것은 황태포, 계란말이 등 가게에서 파는 식재료를 이용해 주인이 맛깔난 안주를 만들어 내면서부터다. 특히 연탄 화덕에 포실하게 구워낸 황태포와 특제 간장소스는 전주 가맥의 상징처럼 되었다.

슈퍼마켓에서 판매하는 가정용 맥주와 식당에서 판매하는 업소용 맥주는 출고가도 같고, 주세도 같다. 그럼에도 출고 단계에서 가정용과 업소용으로 구분하는 것은 유통, 판매 과정에서 발생하는 마진율이 다르기 때문이다. 슈퍼에서 2,000원 하는 병맥주가 업소에서는 5,000원이다. 바로 이 부가 가치에 대한 탈세를 막기 위해 정부는 출고 단계에서 의무적으로 '가정용: 음식점·주점 판매 불가'라는 문구를 써 붙이도록 한 것이다.

가게에서 마시는 가맥은 가정용 맥주이기 때문에 소비자는 가게 앞 플라스틱 의자에 앉아 시중가에 맥주를 즐길 수 있으며, 가게는 가게대로 추가 매출을 올릴 수 있다.

2019년 기준 전주 시내 가맥집의 술과 안주값은 황태 1만원, 맥주 병당 2,500원으로 일반 술집보다 훨씬 저렴한 것을 알 수 있다. 황태포, 달걀말이, 참치전, 닭발을 주문해도 좋지만 과자나 소시지에 곁들여 가볍게 한 잔 하기에도 가맥집만 한 게 없다. 전주는 2015년 제1회 가맥 축제를 개최한 이래 매년 8월 행사를 개최해 왔다. 다만 2020년에는 코로나로 인해 축제를 열지 않았다.

분자 요리

Q   설탕이 솜사탕이 될 때

분자 요리分子料理, Molecular gastronomy는 식품을 조직 차원에서 과학적으로 분석해 새로운 맛과 질감, 모양을 개발하는 요리법이다. 식재료를 섞고, 굽고, 끓이고, 튀기는 과정에서 일어나는 물리적, 화학적인 반응을 이용해 음식을 만들기 때문에 분자 요리라는 이름이 붙었다. 분자미식학이라고도 한다.

길에서 파는 솜사탕도 알고 보면 분자 요리라고 할 수 있다. 설탕은 열에 녹는 성질이 있는데 이런 물리적인 성질에 기계적 원심력을 추가해 다른 차원의 식품으로 재탄생시킨 게 솜사탕이다.

분자 요리 가운데 잘 알려진 게 수비드sous vide 공법이다. 우리말로 풀이하면 '진공 저온 조리법'이 된다. 수비드는 밀폐된 비닐 봉지에 고기를 넣어 60도 이하의 따뜻한 물에서 길게는 72시간까지 데우는 방법을 사용한다. 단백질은 40도에서 변성이 오기 시작해 60도가 되면 응고하기 시작한다. 60도로 넘어가기 직전, 고기가 가장 부드러워지는 온도를 찾아내는 것이 수비드 조리법의 핵심이다. 다만 수비드는 표면이 갈색으로 변하는 마이야르 반응이 안 나타나기 때문에 먹음직스럽게 보이기 위해 식탁에 올릴 때 불에 그슬리는 과정이 추가되기도 한다.

구체화 기법Spherification은 말 그대로 둥글게 만든다는 뜻이다. 에스프레소 캐비어는 작고 동그란 알 형태의 커피 음료로 알긴산 나트륨과 염화칼슘이 만났을 때 엉기는 성질을 이용한 분자 요리이다. 맛은 커피, 식감은 캐비어인 것이다.

거품 추출법Foam Abstract Presentation은 흔히 폼이라고 부르는 조리법으로, 레시틴을 이용해 액체에 거품을 내거나 유화제가 들어 있는 고압 산소통에 재료를 넣어 거품 소스, 거품 빵 형태로 만든다.

젤리화 기법Gelification은 시중에서 파는 '젤리뽀'를 떠올리면 된다. 우뭇가사리를 끓이면 투명한 반고체 상태가 되는데 이때 과즙과 설탕을 첨가하면 달콤하고 탱탱한 젤리뽀가 완성된다. 그 밖의 분자 요리법으로 탄산화 기법, 농밀 기법, 유화 기법 등이 있다.

천연 발효종

🔍 야생 효모로 발효한 씨반죽

천연 발효종Sourdough이란 야생 효모를 이용해 발효한 씨반죽이다. 프랑스어로는 르뱅Levain이다. 천연 발효종은 이스트 제품이 없던 고대의 제빵 방식인데 친환경 건강 빵이 관심사로 떠오르면서 최근 유행 중이다.

빵을 만들 때는 효모가 필수다. 효모酵母는 균계에 속하는 미생물로 누룩, 뜸팡이, 이스트yeast라고도 한다. 효모는 밀가루에 들어 있는 당분을 먹고 이산화탄소를 배출한다. 이 이산화탄소가 빵 반죽에 무수한 구멍을 만들면서 빵이 부풀어 오르는 것이다.

인류가 효모를 이용해 빵을 만들기 시작한 것은 기원전 4000년 무렵으로, 이때만 해도 제빵 기술이 부족해서 밀가루 반죽을 며칠이고 젓거나 주무르는 식으로 효모를 얻었다. 시간이 흐르면서 술을 만드는 과정에서 생긴 효모를 이용해 빵을 만드는 방법이 널리 퍼졌다.

산업화, 도시화로 인해 인구 밀도가 올라가자 좀 더 효율적인 제빵법이 필요하게 되었고, 공장에서 대량으로 이스트를 생산하기에 이르렀다. 시중에서 파는 생이스트, 드라이 이스트가 그것이다. 그러다가 친환경 이슈를 타고 다시 천연 발효종의 시대로 돌아온 것이다.

천연 효모의 재료로 가장 선호되는 게 건포도다. 맛이 달아 효모가 좋아하기 때문이다. 건포도와 물을 일대일로 섞은 다음 당분을 추가해 27℃ 전후의 온도에서 사나흘 가량 발효시키면 건포도 발효 액종이 된다. 여기에 동량의 밀가루를 넣어 추가 발효하면 천연 발효종 즉 사워 도우sour dough가 된다. 이 사워 도우를 남겨 두었다가 동량의 밀가루를 계속 추가하면 똑같은 사워 도우를 얻을 수 있다. 한번 만든 발효종은 평생 사용 가능하다.

액종을 만들 시 효모 외에도 다양한 잡균이 번식하게 되는데 만약 잡균의 수가 효모의 수를 넘어설 경우 실패할 수도 있다. 천연 발효종 빵이 비싼 것은 공정이 까다로운 데다 시간이 많이 걸리기 때문이다.

베드 앤드 브랙퍼스트

🔍 침대와 아침 식사를 제공하는 민박집

베드 앤드 브랙퍼스트Bed and breakfast는 침대와 아침 식사를 제공한다는 뜻으로 민박 개념의 숙소이다. 보통 B&B로 불린다. 호스트는 안 쓰는 별장이나 남는 방으로 수익을 올릴 수 있고, 게스트는 저렴한 비용으로 사람 냄새 나는 여행을 즐길 수 있다는 장점이 있다.

주로 영어권에서 배낭 여행자 중심으로 이용해 오던 B&B 문화가 갑자기 전 세계로 확산된 것은 숙박 공유 서비스 에어비앤비Airbnb, Inc. 덕이라고 할 수 있다. 2008년 미국 샌프란시스코에서 시작된 에어비앤비는 인터넷을 통해 호스트와 게스트를 연결해 준 뒤, 중개 수수료를 떼는 식으로 운영된다. 수수료는 숙박비의 6~12% 정도이다.

비앤비는 처음에는 에어베드와 아침 식사 정도만 제공하는 정도에서 출발했지만 점차 집 전체를 빌려주는 것으로 확대됐다. 주인은 열쇠만 전달한 뒤 사라지기 때문에 체크아웃 때까지 못 만나는 경우가 다반사다. 때문에 게스트는 인근 마트에서 장을 봐서 직접 아침 식사를 해 먹어야 한다.

이 점은 불편 요소가 아니라 오히려 매력 요소여서 낯선 고장의, 낯선 마트에서, 낯선 식재료로 직접 조리해 먹는 것에 큰 매력을 느끼는 사람들이 많다. 비앤비가 위치한 곳이 주택가이다 보니 일부 인기 관광지에서는 여행자가 밤새 먹고 마시며 떠들어 주민 신고가 끊이지 않기도 한다. 여행지에서도 우리 동네, 내 집에서 하듯 똑같이 이웃을 배려하며 조용히 지낸다면 비앤비는 꽤 근사한 여행 경험이다. 에어비앤비의 경우 호스트 평가와 게스트 평가를 실시하여, 차기 이용 시 참고하도록 하고 있다.

우버

Q 내 승용차로 콜택시 알바를

우버Uber는 스마트폰 모바일 앱을 기반으로 한 미국의 승차 공유 서비스다. 말하자면 캡이 없는 콜택시로, 공유된 차량의 운전자와 승객이 모바일 앱을 통해 연결되는 방식을 따른다. 2010년 6월 우버 서비스가 시작되면서 일반 승용차의 차주는 유휴 시간을 이용해 수익을 올릴 수 있게 됐고, 이용자는 택시를 기다리는 불편에서 벗어나게 되었다. 예약된 차량의 위치가 실시간 전송되므로 이용자 입장에서 승차 시간을 예측하기가 쉬워진 것이다.

또한 차량 배정 단계에서 미리 요금이 매겨지기에 이용자는 바가지 쓸 걱정을 하지 않아도 된다는 장점이 있다. 교통 체증이 발생하거나 기사가 길을 잘못 들어 멀리 돌아간다고 해도 요금 사항에는 변동이 없다. 예약된 차량에는 기사의 이름과 사진, 차종과 번호판, 누적된 고객 평가까지 표시되므로 안전하기까지 하다.

우버 유저는 폭발적으로 증가했고 2019년 기준 우버의 기업 가치는 1천억 달러113조 원까지 치솟았다. 가히 '운송계의 아마존'

이라고 할 수 있다. 하지만 이 세계 최고의 승차 공유 서비스가 어디서나 다 통하는 것은 아니다.

동남아에서는 우버가 거의 철수한 상태이다. 현금 결제가 일반적인 동남아에서 우버식 신용카드 결제는 불편한 점이 많았다. 그들이 우버 대신 선택한 것이 그랩Grab이다. 그랩은 현금 결제가 가능한 데다 공유 오토바이인 '그랩바이크'를 운영하여 현지 시장에 안착하는 데 성공했다. 현재 싱가포르, 말레이시아, 인도네시아, 태국, 베트남, 캄보디아, 필리핀, 미얀마 총 8개 국가에서 그랩 서비스를 제공 중이다.

한국에서는 승차 공유 개념의 우버나 그랩은 제대로 뿌리내리지 못했다. 렌터카 호출 서비스 '타다'가 170만 명 회원을 거느리며 새로운 운송 수단으로 떠오른 것도 잠시, 타다 금지법여객자동차운수사업법 개정안이 의결되면서 방향성이 달라졌다. 기존 택시 회사와 협업 체제에 돌입하여 '타다 라이트'를 출범시킨 것.

한편 우버도 2021년 1월부터 가맹 택시를 모집하고, 우버 앱을 통해 정식 콜택시 영업을 개시했다.

경제 없는 정치는 없다

4차 산업 혁명

Q   그들은 당신이 원하는 것을 알고 있다

제4차 산업 혁명Fourth Industrial Revolution, 4IR은 물리적 세계와 디지털적 세계를 통합하는 신기술 산업 혁명을 말한다. 4차 산업은 연결, 융합, 탈중앙화, 분권, 공유, 개방을 통해 예측과 맞춤의 지능화를 지향한다. 현실 세계의 모든 내용을 데이터화한 후 인공 지능 분석을 통해 삶 속에 예측 적용하는 것이 4차 산업의 원리이다.

실리콘 밸리에 적을 둔 소셜 커머스와 SNS는 우리가 이동하고, 구매하고, 글로 남기는 모든 행위를 채집한다. 이렇게 쌓인 데이터를 기반으로 이들은 소비자의 구매 패턴과 행동 패턴을 예측한다.

O2Oonline to offline, 빅데이터, 인공 지능, 로봇 공학, IoT사물 인터넷, 자율 주행, 3D 인쇄, 나노 기술, 스마트워치, 가상 현실, 블록체인 등이 4차 산업 혁명을 대표하는 키워드다.

4차 산업에 있어 사람은 관리자로 물러서고, 사람이 빠져나간 자리에는 빅데이터와 인공 지능을 기반으로 하는 알고리즘이 자리 잡게 된다. 코로나19로 인해 비대면이 이슈로 떠오르면서 4차 산업 분야에서 스마트 밴드를 이용한 모바일 헬스케어 기술, 가상 현실VR을 적용한 산업 기술이 비약적 발전을 거듭하고 있다.

참고로 제1차 산업 혁명 시기는 1760년에서 1820년까지로 본다. 증기 엔진이 개발되면서 농경 사회에서 산업 사회로의 전환이 이행된 시기이다. 제2차 산업 혁명 시기는 1870년에서 1914년이다. 철강, 석유, 전기 분야에서 산업의 확장이 있었으며 각종 생산에 전력이 사용됐다. 이 기간에 모터, 전화, 전구, 축음기 분야에서 기술적 진보가 있었다. 제3차 산업 혁명은 1970년대에 시작돼 현재에 이른다. 이 기간에 아날로그에서 디지털로의 전환이 있었다. 개인용 컴퓨터, 인터넷 정보 통신 기술ICT이 이에 포함된다.

실리콘 밸리

Q   데이터가 석유다

실리콘 밸리는 첨단 디지털 기업을 일컫는 명칭이다. 가파
GAFA라 불리는 4대 초대형 IT 기업인 구글Google, 애플Apple, 페이
스북Facebook, 아마존Amazon 외에 유튜브, 애플, 마이크로소프트,
스냅챗, 에어비앤비, 테슬라를 들 수 있다.

기후 좋은 미국 캘리포니아주 샌프란시스코만 남부에 실리콘
칩 제조사들이 모여 들면서 이곳을 실리콘 밸리로 칭하기 시작했
는데 현재는 디지털 산업 집단을 일컫는 이름이 됐다.

1998년 구글이 실리콘 밸리 지역에 창업하면서 2004년 페이스
북, 2005년 유튜브, 2006년 트위터, 2008년 에어비앤비, 2009년
우버, 2009년 왓츠앱, 2010년 인스타그램, 2011년 스냅챗이 잇따
라 인근에 둥지를 틀었다.

우리 삶을 더없이 편리하게 해 주는 데다 사용료도 안 받는 유
튜브, 구글, 페이스북은 어떻게 기업 가치가 수조 원에 달하게 된
것일까. 그 비밀은 '데이터가 석유다!'라는 슬로건에 있다.

루시 그린Lucie Greene의 『실리콘 제국』은 실리콘 밸리의 실체를

파헤친 책이다. 우리가 정보를 검색할 때마다, 셀카를 올릴 때마다, 상품을 구매할 때마다, 숙박업소를 예약할 때마다 행동 데이터가 쌓이는데 실리콘 밸리는 이렇게 수집한 데이터를 바탕으로 지구인의 생활, 교육 환경, 의료 환경에 권력을 행사한다는 것이다. 실리콘 밸리가 공짜로 서비스를 제공하는 게 아니라 우리가 공짜로 데이터를 내주는 셈이다.

　루시 그린은 실리콘 밸리가 약속하는 미래는 아주 매혹적이지만 거대 기술 기업들의 최종 목적지가 거대 권력이라면 우리의 미래는 결코 분홍색일 수만은 없다고 경고한다. 실리콘 밸리가 그리는 미래와, 우리가 그리는 미래가 일치할 확률이 높을까, 어긋날 확률이 높을까?

함께 읽기 | 루시 그린 『실리콘 제국』

아웃소싱

지배가 아니라 협업이다

아웃소싱outsourcing은 기업 내 프로젝트, 생산, 유통, 회계 등을 다른 회사에 위탁하여 처리하는 것을 말한다. 자사 근로자를 타사에 파견 보내는 것, 프랜차이즈, 전략적 제휴, 컨소시엄까지 아웃소싱 개념으로 이해할 수 있다.

기업이 아웃소싱을 도입하는 가장 큰 이유는 비용 절감 효과 때문이다. 핵심 업무는 아니지만 전문성을 필요로 하는 작업의 경우 직원을 직접 채용하는 것보다 전문 회사에 맡기는 게 비용면에서 이득이다. 또한 기업은 비핵심 부문의 일을 외부에 위탁함으로써 핵심적 비즈니스에 집중할 수 있어 생산성을 극대화하는 데 도움이 된다.

과거에도 외주라는 이름의 아웃소싱과 비슷한 형태의 업무가 있어 왔으나 외주와 아웃소싱은 구조적으로 다르다. 외주는 수직적 지배 체제를 띠고, 아웃소싱은 수평적 협력 체제로 운영된다.

아웃소싱이라는 표현은 한국의 노동 현실 속에서 부정적인 이미지가 강한 편이다. 갑과 을, 주류와 비주류, 정규직과 비정규직,

하도급과 재하도급이라는 대립 구도 속에서 노동 착취, 불법 파견과 같은 비정상적인 비즈니스 행태가 자행되었기 때문이다.

그러나 애플도, 삼성도 아웃소싱 없이 스마트폰을 만들 수 없으며 벤츠도, 현대도 아웃소싱 없이 자동차를 생산할 수 없다. 융합이 강조되는 4차 산업혁명 시대를 맞아 아웃소싱은 선택이 아닌 필수가 됐다. 미국에 뿌리를 둔 실리콘 밸리는 세상이 원하는 물건, 세상이 요구하는 서비스를 창출하기 위해 유능한 파트너를 찾고 있다.

세계를 하나로 엮는 4차 산업혁명의 '공급 사슬'에 엮이려면 시스템 설계, 응용 프로그램 개발, 텔레커뮤니케이션, 데이터 처리, 시스템 통합 쪽에서 실력을 갖추어 나가야 한다. 아울러 차세대 기술력과 함께 아웃소싱을 협력 체제로 인식하는 가치관의 변화가 있어야 하고, 공정 거래에 대한 개념이 탑재되어 있어야 할 것이다. 현재 아웃소싱은 선진국의 경제적, 산업적 공격을 제대로 막아 내면서 국내 기업을 살리고, 일자리를 창출하는 강력한 키워드로 자리 잡아 가고 있다.

정치적 소비자 운동

🔍 소비에는 책임 의식이 따른다

　정치적 소비주의란 소비를 단지 경제적인 행위로 보는 것으로 그치지 않고 정치, 이념, 윤리와 연결 짓는 것을 말한다. 어떤 기업에서 제3세계 아동의 노동을 착취해 축구공을 만든다면 이런 기업의 제품을 사는 것은 그런 구조를 유지하는 데 이바지하는 것이 된다.

　반면 친환경적인 방법으로 만든 제품을 구매하면 기후 변화를 늦추는 일에 참여하는 일이 된다. 이처럼 모든 소비에는 소비 행위에 따른 연쇄 작용이 있으므로 소비자는 그 결과에 대한 '책임 의식'을 갖고 소비에 임하는 게 정치적 소비자 운동이다.

　강준만 교수는 『쇼핑은 투표보다 중요하다』에서 '일반적인 소비자 운동이 상품과 서비스에 초점을 두고 소비자들의 피해를 알리고 해결하는 데 주력한다면, 정치적 소비자 운동은 상품의 생산 과정에서부터 기업·경영자의 행태에 이르기까지 매우 포괄적인 범주에 걸쳐 이념적·정치적·윤리적 문제를 제기하고, 이를 정치화하는 것'이라고 설명했다.

    정치적 소비자 운동은 이미 우리의 일상에 깊숙이 들어와 있는데 소셜 미디어를 방문하면 거의 하루도 빠짐없이 특정 상품, 특정 기업, 특정 업소의 평판이 업데이트되는 것을 볼 수 있다. 기업체 스스로도 '기업의 사회적 책임'을 강조하고 있다. 이는 정치적 소비자 운동의 영향력이 막강해졌음을 말해 준다.

    그러나 이런 정치적, 윤리적 소비에는 적지 않은 각오가 필요한데, 비슷한 물건을 돈을 더 주고 사야 하는 일이 생기기 때문이다. 시장 질서를 거스르는 문제로 인해 일각에서는 정치적 소비의 지속 가능성에 의심을 품기도 한다.

함께 읽기 | 강준만 『쇼핑은 투표보다 중요하다』

정치·경제 5

종부세

🔍 토지는 공공채! 보유하고 있는 것만으로 조세의 대상

    종부세란 종합 부동산세綜合 不動産稅의 줄임말이다. 일정 가격 이상의 부동산을 소유한 사람들에게 부과되는 세금으로 보유세에 속한다. 보유세는 크게 재산세와 종부세로 나뉘는데 재산세는 지방세이고, 종부세는 국세다. 재산세와 관련해서는 시군구청에 문의해야 하고, 종부세에 대해서는 관할 세무서나 국세청에 문의해야 한다.

    국가가 종부세를 걷는 이유는 '토지 공개념'과 맞닿아 있다. 부동산은 사유 재산이면서 대한민국의 국토이기에 공공채의 성격을 지니고 있는 것이다.

    그동안의 부동산 공시가는 시세의 60에서 70% 수준에서 매겨졌다. 하지만 정부는 2018년 '9.13 대책'을 통해 공정시장가액 비율을 2022년까지 100% 수준으로 끌어올릴 계획이라고 발표했다. 공정시장가액 비율이 오르면 집값이 오르지 않아도 종부세 과세 표준이 커지고 세금도 증가하게 된다.

    정부는 여기에 그치지 않고 2019년 추가로 '12.16 대책'을 내놓았다. 투기 과열 지구에 대해 주택 담보 규제를 한층 강화하는 동시에 종합 부동산세율을 대폭 인상하는 법 개정안이다. 이처럼 문재인 정부는 부동산 가격을 안정시키기 위해 해마다 다양한 부동산 대책안을 쏟아 내고 있다. 2017년부터 2021년 초까지 문재인 정부가 내놓은 부동산 대책은 총 25개. 대부분 대출 규제를 강화하고 세금을 인상하며 주택을 공급하는 것에 초점이 맞추어져 있다.

세금과 관련하여 한국은 매년 6월 1일, 부동산 소유자에게 1년 치 보유세재산세+종부세를 부과한다. 집을 파는 입장이라면 6월 1일 이전에 잔금을 받아야 보유세를 피할 수 있고, 사는 사람 입장에서는 6월 2일 이후로 잔금을 미루어야 전 주인이 세금을 내게 된다. 잔금 날짜를 두고 신경전을 치루는 게 불편한 사람들은 합의해서 반반씩 부담하기도 한다.

지주 회사

🔍 주식을 통해 작은 회사를 지배하는 큰 회사

지주 회사持株 會社란 주식 소유를 통해 다른 회사의 사업 활동을 지배하거나 관리하는 회사를 말한다. 대표적으로 2001년부터 출범하기 시작한 금융 지주 회사를 들 수 있다. 과거에는 예금을 찾기 위해 은행을 방문하고, 보험에 가입하기 위해 보험사에 가고, 주식을 거래하기 위해 증권사 객장을 찾았지만 최근에는 한 곳의 금융 지주 회사만 방문해도 은행, 증권, 보험, 카드, 캐피털, 투자 은행 등의 업무를 보는 일이 가능하다. 한국에는 우리금융지주, 신한금융지주, 하나금융지주, KB금융지주, 농협금융지주, 한국투자금융지주, 메리츠금융지주 등의 금융 지주 회사가 있다.

한편 대한민국 법은 공정거래법상 일반 대기업 지주 회사가 벤처 캐피털을 계열사로 둘 수 없도록 하고 있는데 이는 '금산 분리' 원칙에 따른 것이다. 금산 분리란 금융과 산업을 분리시킴으로써 자본의 독식을 막는 규제이다. 반면 해외에서는 구글, 인텔 등 대기업이 CVC기업 주도형 벤처 캐피털를 통해 벤처 기업에 적극 투자하고 있어 한국과 대조가 된다.

2020년 팬데믹의 광풍이 전 세계를 덮치면서 정치, 경제, 사회, 문화 부분에서 큰 지형 변화가 있었다. 정부가 대기업 지주 회사에 벤처 캐피털vc 설립을 허용한 것이 그것이다. 정부가 그동안 금기시되던 금산 분리 완화 카드를 꺼내든 것은 그만큼 코로나19로 인한 경제 위기가 심각해졌다는 방증이다.

페이팔 마피아

실리콘 밸리를 움직이는 사람들

'페이팔 마피아Paypal Mafia'는 인터넷 결제 서비스 회사인 페이팔 출신 창업자들이 파워 그룹을 형성하면서 붙여진 이름이다. 천재 엔지니어, 전문 관리자, 과감한 투자가 등 다양한 부류의 사람들이 구성원인데 이들은 끈끈한 유대 관계를 바탕으로 미국 실리콘 밸리를 쥐락펴락하고 있다.

1만 년이라는 유구한 역사를 거치면서 인류 문명은 몇 번의 혁신과 진보를 이루어 냈다. 그 진행은 대체적으로 느리고 자연스러웠다. 그러나 페이팔 마피아가 등장하면서 1만 년 진화의 패러다임이 싹 바뀌었다.

페이팔 마피아의 대부 격인 '피터 씨엘'은 2조 원어치의 '페이스북' 주식을 보유하고 있는 것으로 알려졌다. 이는 페이스북 지분의 10%에 해당하는 돈이다. 씨엘은 2004년 8월, 자신을 찾아온 저커버그에게 50만 달러를 투자했다. 6억 원이 2조 원으로 불어나는 데 불과 십여 년의 세월이 흘렀을 뿐이다.

페이팔 마피아의 힘은 붕괴 도착증에 있다. 일반적으로 '붕괴'

하면 부정적인 느낌이 크다. 하지만 페이팔 마피아에게 붕괴는 결코 무섭고 불길한 단어가 아니다. 이들에게 붕괴는 멋지고 바람직하며 진보적인 개념이다.

이런 시각은 기존의 시스템을 재편하는 빌미가 되어 주었고 실리콘 밸리가 지구 상권의 핵으로 자리 잡는 데 큰 역할을 했다. 이들은 오늘도 세상을 붕괴시키기 위해 끊임없이 개발하고 투자한다. 그리고 이 붕괴에 절대적인 도움을 주는 게 구글, 페이스북, 인스타그램, 테슬러 사용자의 행동 데이터이다.

붕괴 도착중에 빠진 페이팔 마피아는 세계인의 행동 데이터를 바탕으로 인류의 생활을 바꾸고 교육 환경, 의료 환경을 바꾸고 나아가 정치, 경제, 사회적으로 그 영향력을 확대하는 중이다.

뱅크런

Q   결과가 원인을 만든다

뱅크런Bank run은 은행이 파산한다는 소문이 퍼지면서 예금을 돌려받지 못할 것을 우려한 예금주들이 한꺼번에 돈을 인출하여 은행이 실제로 파산에 이르게 된 사태를 말한다. 때론 결과가 원인을 만들기도 한다는 것을 보여 주는 사례다.

애니메이션 「메리 포핀스」에 보면 뱅크스 씨가 아이들을 자신의 직장인 은행으로 데리고 와 용돈을 저금하라고 타이른다. 하지만 아이들은 싫다고 떼를 쓰면서 "내 돈을 돌려주세요!" 하고 외친다. 이 말을 들은 예금주들이 은행이 파산하는 줄 오해하고 너도나도 예금을 찾으면서 대규모 예금 인출 사태가 발생했다. 이것이 뱅크런이다.

정부는 뱅크런에 대비하기 위해 '예금자 보호법'을 적용하여 은행 파산에 따른 예금주의 손실을 5000만 원 내에서 보장해 주고 있다. 그러나 불안이 사람의 마음을 잠식하면 예금자 보호법마저 소용없어지곤 한다.

때는 글로벌 금융 위기 여파로 부동산 거품이 꺼진 2011년 초.

금융 당국은 저축 은행의 프로젝트 파이낸싱PF 대출 사업장 전수 조사에 들어간다. 이때 전체 7조 299억 원의 대출금 가운데 절반이 넘는 돈이 부실 우려 사업장에 대출해 준 것이 드러났고 가장 먼저 삼화저축은행이, 이어 부산·대전저축은행이 영업 정지를 당했다.

이런 사실이 알려지면서 자기 돈을 못 찾을 것을 우려한 예금자들이 너도나도 몰려들어 저축 은행 앞은 아수라장이 됐다. 정부의 예금자 보장 약속마저 믿을 수 없었는지 5000만 원 이하 예금주까지 돈을 찾으려고 엎치락뒤치락했다. 이로 인해 전국적으로 저축 은행 도산 사태가 벌어졌다.

2011년 뱅크런 사태로 해당 년에 10곳, 이듬해에 8곳의 저축 은행이 문을 닫았다. 2012년 10월 기준 예금자 피해 금액은 5131억 원, 저축 은행 후순위채 채권 투자 손실은 8571억 원으로 집계됐다.

맥잡

저임금의 밑바닥 직업

맥잡McJob은 전망 없는 저임금 일자리를 일컫는 단어다. 맥도날드와 직업job의 합성어로 기술이나 창의성을 필요로 하지 않는 직장에서, 낮은 임금에 강도 높은 일을 하는 것을 말한다.

신조어가 탄생해서 대중들에게 보편적인 용어로 자리 잡으면 사전에 정식 등재되는데 2003년 6월 미국의 웹스터 대학 사전은 '맥잡'을 '값싼 임금의 밑바닥 직업'이라 정의했다. 이 일을 두고 맥도날드사의 공식 항의가 있었지만 해당 회사가 햄버거 패티 속에 고기와 함께 종업원의 노동력을 갈아 넣은 것은 부정할 수 없는 사실이다.

2016년에는 한국 맥도날드 아르바이트 노동자들이 노동조합을 설립하고 한국 맥도날드 본사에 단체 교섭을 요구하면서 맥도날드 노동자들의 열악한 근무 환경이 만천하에 알려졌다. 맥도나드 노동자들은 고온의 기름과 달궈진 그릴로 인해 늘 화상 위험에 노출돼 있으며, 본사 방침에 따라 45초 이내에 햄버거 하나를 만들어야 했다. 매장에 출근해도 유니폼으로 갈아입는 시간이나 기타 업무 준비 시간에 대해서는 임금조차 받지 못했으며, 손님이 많지 않을 때는 조기 퇴근껶기을 종용받기도 했다.

패스트푸드, 편의점, 주유소 알바로 대표되는 맥잡의 저임금 문제는 2017년 문재인 정부의 전폭적인 최저 임금 인상안을 끌어내는 기폭제가 됐다. 최저 임금은 고용자가 피고용인에게 지급해야 하는 최소한의 임금선을 정부가 정하는 것이다.

최저 임금 인상에 대한 반대 여론도 만만치 않았는데 자영업자는 비용 부담을 줄이기 위해 직원 수를 줄일 것이고, 노인 실업 인구가 늘어날 것이라는 전망이 대두됐다.

2017년 대선 당시 문재인 더불어민주당 후보는 '2020년까지 최저 임금 1만원'을 공약으로 내걸었으나 2020년 정부는 전년 대비 240원약 2.9% 인상된 '8,590원'을 최저 시급으로 발표했다. 그리고 2021년에는 1.5% 인상된 8,720원으로 최저 시급이 책정됐다.

정치·경제 10

소주성

🔍 경제를 살리려면 서민에게 돈을

소주성이란 소득 주도 성장론Income-led growth을 가리킨다. 사람들 주머니에 돈이 있어야 소비가 늘어나고, 기업이 고용을 늘려 전반적인 경제 성장이 이루어진다는 이론이다. 문재인 정부가 들어서면서 홍장표 전 경제 수석과 장하성 전 정책실장이 소주성을 주도했다. 국제 노동 기구ILO에서 사용하는 임금 주도 성장Wage-led growth과 비슷한 맥락이지만 한국은 자영업자 비율이 25%에 달하기 때문에 '임금' 대신 '소득'이라는 단어를 사용하고 있다.

소주성의 대표적인 예로 비정규직의 정규직 전환, 최저 임금 인상, 공공 부문 일자리 창출, 실업 급여, 출산 유급 휴가, 보조금 지급을 들 수 있다. 소주성은 큰 정부를 지향하는 케인즈 이론, 사회주의 이론에 기반을 두고 있으며 친자본적인 이윤 주도 성장과는 반대 지점에 있다.

기업이 성장하면 그 떡고물로 인해 경제가 발전한다는 게 이윤 주도 성장의 핵심인데 이를 '낙수 효과'라고 한다. 신자유주의,

무한 경쟁 체제에 기반을 둔 이윤 주도 성장이 경제적 불평등, 사회적 양극화 등의 문제를 야기하면서 소주성이 대두된 것이다. 소주성은 가계 소비를 증대시켜 기업의 성장을 도모하는 '분수 효과'에 기대는 측면이 있다.

소주성에 대해 부정적인 견해를 갖고 있는 학자들은 '소주성이 단기적인 효과는 있지만 장기적으로는 투자를 활성화하는 이윤 주도 성장이 경제 성장에 유효하다'고 주장한다. 특히 최저 임금 항목과 관련해 가난한 자영업자를 더욱 어렵게 만들고 있으며 노인이 일할 기회를 원천적으로 빼앗고 있다는 주장이 있다.

유리 천장

🔍 법적으로 가능, 현실적으로는 불가능

유리 천장glass ceiling이란 충분한 능력을 갖추었음에도 여성이라는 이유로 직장에서 고위직을 맡지 못하는 상황을 말한다. 미국 경제지 『월스트리트 저널』에서 1970년대에 만든 조어로 법적으로는 아무 문제가 없으나 실제적으로는 진급이 불가능할 때 이 말을 쓴다. 인종 차별, 장애인 차별에도 종종 사용된다.

유리 천장 지수glass-ceiling index는 여성의 노동 환경을 종합적으로 매긴 점수다. OECD 통계를 토대로 여성의 교육, 경제 활동 참여, 임금, 승진에 대해 산출한다.

영국 시사 주간지 『이코노미스트』가 발표한 '2020 유리 천장 지수'를 보면 한국은 경제협력개발기구OECD 29개 회원국 중 꼴찌를 기록했다. 8년째 꼴찌다. 한국 대졸자의 남녀 비율 차가 6.6%로 OECD 내에서 2위를 차지한 것과 대조적이다. 한국 여성은 남성보다 평균 35% 적은 임금을 받았는데, 여성 경영진의 수는 전체 경영진 7명 중 1명 꼴로 나타났다. 특히 기업 이사회에서 여성이 차지하는 비율은 3.3%로 매우 낮게 나타났다. 꼴찌에서 두 번

째인 일본조차 한국의 2배가 넘는 8.4%를 기록했다. OECD 평균
은 25.4%.

유리 천장 지수 상위권 나라는 스웨덴, 노르웨이, 핀란드, 덴
마크, 아이슬란드 같은 북유럽 국가들이다. 이들 나라는 2000년
대에 접어들면서부터 '여성 이사 할당제'를 도입하여, 사회적으로
유리 천장을 깨기 위한 노력을 기울였다. 유럽 국가 가운데는 여
성 이사를 두지 않으면 경고 후 벌금을 부과하며, 그래도 개선되
지 않으면 상장 폐지 같은 과감한 제재를 가하기도 한다.

미국 나스닥도 상장사들에 대해 여성, 소수 인종, 성소수자를
이사진에 포함시킬 것을 의무화하는 제안서를 미 증권거래위원
회SEC에 제출했다. 이런 다양성 요구를 충족하지 못한 기업은 나
스닥 퇴출까지 갈 수도 있다.

유리 천장의 반대어로 '유리 엘리베이터'가 있다. 여성을 위험
하거나 힘든 직무에 배치시키지 않아 남성들이 역차별을 호소할
때 사용하는 말이다. 그 외의 파생 용어로 성별로 편법 업무 분장
을 실시할 때 사용하는 '유리벽', 미국에서 아시아계 미국인에 대
한 차별을 일컫는 '대나무 천장Bamboo ceiling'이 있다.

한편 능력이 부족하더라도 부모의 재력과 인맥을 이용해 고위
직이나 쉬운 업무를 맡는 현상을 유리 바닥Glass floor이라고 한다.
부모의 경제적 계급이 자식에게 대물림된다는 뜻에서 수저 계급
론과 일맥상통하는 이야기이다.

수저 계급론

부자의 지형도가 바뀌다

수저 계급론은 부모의 자산과 소득 수준에 따라 개인의 계급이 결정된다는 이론이다. 영국 관용구에 "은수저를 물고 태어나다Born with a silver spoon in one's mouth."가 있는 것으로 보아 한국에서 출발한 이론은 아니다.

수저 계급론은 2015년에 한국에서 흙수저 논란이 촉발되면서 이슈화됐다. 미국의 경제지『포브스』의 2017년 조사를 보면 한국의 주식 부자 중 상속형은 65.2%로 일본30%, 미국25%에 비해 월등히 높았다. 상속·증여로만 연간 60조 원의 재산이 대물림되고 있었던 것이다. 실제로 저소득층 가구 자녀는 상위권 대학 진학비중이 낮고, 고임금의 질 좋은 일자리에 취직할 가능성도 낮다는 조사 결과가 있다.

'흙수저'와 함께 등장했던 '3포 세대'는 연애, 결혼, 출산을 포기하는 세대를 일컫는 말이었다. 여기에 집과 인간관계까지 포기하는 '5포 세대'가 등장하더니 무한대로 포기한다는 'N포 세대'까지 등장했다. '노오-력'은 아무리 애를 써도 상위 계급으로 이동할 수 없는 절망 사회를 비꼬는 단어였다.

프랑스 경제학자 토마 피케티는 책『21세기 자본』에서 경제 성장률이 떨어지면 노동을 통해 얻는 소득보다 대물림되는 부로 인해 얻는 수익이 점점 더 중요해진다고 지적했다. 상속에 의한 부는 '부의 집중'을 불러 사회적 불평등을 강화시킨다.

그러다가 2020년 들어 전세가 완전히 역전되었다. 코로나19가 창궐하면서 자수성가형 억만장자가 폭발적으로 늘어난 것이다. 셀트리온은 국내 1호 코로나 치료제 개발로 주가가 상승했고, 카카오는 코로나19가 한창이던 1분기에 역대 최고의 실적을 올렸다.

2020년 조사에서 한국의 10대 부자 가운데 절반에 달하는 5명이 바이오 제약업 및 IT 창업자였다. 경제 주간지『포브스』가 선정한 한국 갑부 순위에서 1등을 차지한 사람은 서정진 셀트리온 회장. 그의 자산은 13조 6195억 원으로 집계됐다. 가난한 집안에서 성장한 그가 국내 최고의 부자 삼성가를 눌렀으니 흙수저의 반란이라 할 만하다.

3위를 차지한 김정주 NXC 대표, 5위의 김범수 카카오 의장, 6위의 권혁빈 스마일게이트 전 대표, 10위를 차지한 김택진 엔씨소프트 대표 역시 평범한 집안 출신으로 실력과 도전을 통해 성공한 부자들이다. 수저 계급론은 어느덧 옛말이 되었다.

OECD

🔍 37개국이 머리를 맞대고 경제 협력을 논의하다

OECD는 경제협력개발기구Organization for Economic Cooperation and Development의 머리글자로 37개 국가2021년 4월 기준가 회원국이다. 전반적으로 경제 구조가 안정되어 있고 민주적인 국가들의 모임이라고 할 수 있다. 회원국은 매년 5월을 기해 각료 이사회를 열고 경제 정책을 조정하거나 무역을 확대하고, 환경 문제를 논의하며, 개발 도상국을 원조하는 일을 추진한다.

각료 이사회가 열리는 곳은 프랑스 파리 OECD 본부. 사무총장은 '마티어스 코먼' 전 호주 재무장관. 15년간 재임해 온 멕시코 출신 '앙헬 구리아'의 뒤를 이어 2021년 6월 1일 정식 취임했다.

창단 멤버 20개국은 다음과 같다. 캐나다, 미국, 영국, 덴마크, 아이슬란드, 노르웨이, 터키, 스페인, 포르투갈, 프랑스, 아일랜드, 벨기에, 독일, 그리스, 스웨덴, 스위스, 오스트리아, 네덜란드, 룩셈부르크이다.

뒤를 이어 이탈리아1962, 일본1964, 핀란드1969, 오스트레일리아 1971, 뉴질랜드1973가 가입했고 한참 동안 회원을 안 받다가 멕시

코1994가 들어오면서 체코1995, 헝가리1996, 폴란드1996, 대한민국
1996, 슬로바키아2000, 칠레2010, 슬로베니아2010, 이스라엘2010, 에
스토니아2010, 라트비아2016, 리투아니아2018, 콜롬비아2020가 속
속 가입했다.

중국은 OECD 회원국이 아닌 '핵심 파트너' 지위를 점하고 있
으며, 러시아는 가입 협상 중이다. 한편 유럽 연합은 국가별로 가
입하는 게 원칙인데 유럽 연합이면서 OECD가 아닌 나라는 루마
니아, 몰타, 불가리아, 크로아티아, 키프로스 5개국이다.

가치 투자

위험보다 안전

가치 투자란 기업의 내재 가치를 중요하게 생각하는 현물 투자 전략을 말한다. 기업의 가치를 구성하는 요소로 주당 순자산 가치BPS, 상장 가치, 수익 가치, 무형 가치 등이 있다.

미국의 전설적인 투자가 벤저민 그레이엄은 "사업처럼 하는 투자가 가장 현명한 투자"라며 가치 투자의 중요성을 역설했다. 이후 워런 버핏, 세스 클라먼이 가치 투자의 계보를 이어받아 미국 월가를 주물렀다.

가치 투자는 이익의 극대화를 지향하지 않는다. 가치 투자의 목표는 '손실의 최소화'이다. 벤저민 그레이엄은 '투자'를 "철저한 분석을 기반으로, 원금 안전성과 적정한 수익을 보장하는 약속"으로 정의했다.

워런 버핏 역시 "가치를 측정할 수 없는 자산을 매매하는 행위는 투기"라며 가치 투자만이 진정한 투자라고 강조했다. 이들의 말대로라면 감, 직관, 시장 분위기, 소문, 뉴스, 종목 정보, 투자 심리, 수급, 가격 상승 추이, 기술적 분석을 기반으로 하는 모든 투자 행위는 투기인 셈이다.

벤저민 그레이엄이 내세운 가치 투자 공식은 다음과 같다. 첫째, 기업의 내재 가치를 따진다. 내재 가치보다 저렴하게 살 수 있다면 주식 시장이 하락해도 손해를 보지 않을 수 있다.

둘째, 안전 마진을 추구한다. 안전 마진은 기업 수익률이 채권 수익률을 훨씬 초과할 때 확보되는 것으로 벤자민 그레이엄은 "예측할 수 없는 상황에서도 원본을 지켜 낼 수 있는 최소한의 안전 마진이 필요하다."고 말했다. 가령 어느 회사의 가치가 30만 달러고 부채가 10만 달러라면, 이론상 회사의 가치가 20만 달러 이상 감소하기 전까지 채권 투자자들은 안전한 셈이다.

가치 투자 역시 100% 정답은 아니어서 분식 회계와 같은 거짓 숫자 놀음에 넘어갈 수 있다. 그렇다 해도 "정보가 불충분한 상태에서 즉흥적으로 결정한 투자는 미래의 수익을 꼼꼼하게 따져 보는 투자보다 투기적"이라고 한 벤저민 그레이엄의 말은 진리로 받아들여지고 있다.

주당 순자산 가치

Q   기업을 청산하면 한 주당 돌아가는 돈

주당 순자산 가치란 기업의 자산을 주식 숫자로 나눈 것이다. 기업이 모든 것을 청산하고 주주들에게 자산을 나눠 줄 경우, 한 주당 얼마씩 돌아가는지를 나타내는 지표이기 때문에 '청산 가치' 라고도 한다. 흔히 BPS Book-value Per Share로 통하며, 기업의 가치를 따지는 기준이 된다.

주식 투자자 입장에서 주식 한 주당 자기가 얼마만 한 보상을 받을지 알고 있는 것은 매우 중요하다. 거래되는 주식 가격이 BPS보다 낮게 책정되었을 수도 있고 높게 책정되었을 수도 있기 때문이다.

같이 사용되는 지표로 PBR 주가 순자산 비율이 있는데, 이는 주가를 BPS로 나눈 비율이다. 즉 주가와 주당 순자산을 비교한 수치이다.

PBR가 1이라면 특정 시점의 주가와 기업의 주당 순자산이 같은 경우이다. 만약 이 수치가 1이 안 된다면 해당 기업의 자산 가치가 증시에서 저평가되고 있다고 볼 수 있다. 즉 자기 자본의 비중이 크고 실제 투자 가치가 높다는 것을 의미한다.

이처럼 BPS는 기업이 내용적으로 얼마나 충실한지 알 수 있는 척도일 뿐만 아니라 자산 충실도가 주가에 얼마나 반영되어 있는지에 대한 척도이기 때문에 주식 시장에서 아주 중요한 정보로 취급된다.

장세의 등락에 따라 주가와 주당 순자산이 단기적으로는 역전될 수 있지만 장기적으로는 주가가 순자산 가치를 하회할 수 없기 때문에 증시 침체 시 이러한 종목에 주목하면 좋은 수익률을 기대할 수 있다. 이것을 벤저민 그레이엄은 '가치 투자'라고 했다.

분식 회계

🔍 얼굴에 분칠하듯 자산을 거짓으로 부풀리기

　　분식 회계make-up accounting란 기업이 재무 상태를 좋게 보이려고 이익이나 자산을 부풀리는 것을 말한다. 한자로 분가루를 뜻하는 분粉 자를 사용한다. 회사 장부를 메이크업 시켰다고 해서 돈이 실제로 늘어나지는 않지만, 사람들에게 돈이 많은 것처럼 보이게 할 수는 있다. 분식 회계는 엄연한 불법 행위로 주식 투자자들의 혼란을 야기하여 돈을 잃게 만들고 한 나라의 경제 신뢰도를 떨어뜨린다. 분식 회계는 워낙 교묘해서 알아차리기가 쉽지 않은데 금융 감독원이 전하는 분식 회계 수법은 다음과 같다.

　　첫 번째, 재고 자산을 허위로 계상하는 수법. 재고 자산이 이동할 때는 반드시 운송비가 발생한다. 재고 자산이 이동했음에도 운송비 발생 흔적이 없다면 분식 회계일 가능성이 높다.

　　두 번째, 허위로 물품을 제조, 판매하여 매출을 계상하는 수법. 운영난에 빠진 기업이 상장 폐지를 피하기 위해 제조하지 않은 제품을 만든 것처럼 허위 증빙을 꾸미는 경우가 있다. 심지어 거래처와 공모해 판매하지 않은 제품을 판매한 것처럼 가짜 세금

계산서도 발행한다. 이 경우 관련 제품에 사용되는 원재료 폐기 여부, 판매용 포장지 등 관련 물품의 사용 여부를 체크하면 사실 여부를 알 수 있다.

세 번째, 특수 관계자를 개입시켜 순액을 총액으로 회계 처리하는 수법. 타 업체로부터 원재료를 공급받아 외주 가공 후 납품하는 업체의 경우 제3자 특수 관계자에게 원재료를 구입한 것처럼 외관을 만든 후 총액 처리하는 수가 있다. 이럴 때는 최초 원재료 공급업체와 납품업체가 동일한지 여부를 확인하면 답이 나오며 급여 대장, 매출 총이익 등을 통해 수법을 알아낼 수 있다.

네 번째, 해외 자회사 예금 허위 계상 수법. 미국에 자회사를 설립한다는 명분 아래 거금의 자본금을 송금한 후 바로 인출해 놓고 은행 잔고를 위조해 마치 잔액이 있는 양 회계 장부를 조작하는 것이다. 이럴 경우 현지 은행에 직접 잔액 증명을 요청하여 예금 잔액이 실제로 있는지 체크해야 한다.

다섯 번째, 판매 대리점에 자금을 지원해 놓고 허위로 매출을 계상하는 수법. 만약 소수의 판매 대리점으로 매출처가 집중된다면 판매 대리점의 영업 현황을 체크해야 한다.

여섯 번째, 해외 자회사 허위 매각 수법. 이 경우는 해외 법인을 인수 또는 매각하는 업체에 대해 현지 해외 법인의 법인 등기부를 체크해야 한다.

리먼 브라더스 쇼크

🔍 저신용자에게 돈 빌려주다가 폭망한 이야기

리먼 브라더스 쇼크란 미 월가 투자 금융 회사인 '리먼 브라더스사'가 2008년 9월 15일 파산하면서 세계적으로 금융 위기가 몰아친 것을 말한다. 리먼 브라더스는 골드만삭스, 모건스탠리, 메릴린치와 함께 미국 4대 투자 은행IB으로 꼽힌다.

파산 당시 리먼 브라더스의 총 부채 규모가 6130억 달러에 달했는데 이 수치는 세계 17위 경제국인 터키의 한 해 국내 총생산GDP과 맞먹는 액수였다. 미국 최대의 기업 파산 사태라 할 수 있다. 리먼 브라더스가 파산하자 뉴욕을 필두로 전 세계 주식 시장이 폭락했다. 유수의 금융업체가 쓰러졌고 그 파장으로 비금융업체까지 파산했다. 세계적인 파산의 쓰나미가 몰아닥친 것이다.

리먼 브라더스 몰락의 가장 큰 원인은 '서브프라임 모지기'였다. 서브프라임 모기지Subprime Mortgage란 저신용자를 대상으로 한 주택 담보 대출을 말한다. 참고로 미국의 대출 등급은 우량인 프라임Prime, 중간인 알트-Aalternative-A, 저신용인 서브프라임SubPrime으로 구분된다.

'911 사태' 이후 미국은 경기 부양을 위해 초저금리 정책을 펼쳤는데 많은 사람들이 대출을 끼고 부동산을 구입했다. 부동산 붐에 힘입어 CDO_{Collateralized Debt Obligation, 부채 담보부 증권}도 큰 인기를 끌었다. CDO란 여러 사람의 주택 담보 대출을 모아 만든 증권을 말한다. 사람들이 주택을 담보로 돈을 빌리면, 그 이자가 투자자에게 가는 구조였다. CDO는 저금리 시장에서 매우 돋보이는 투자처였다. 초반에 COD는 대체로 안전했는데 우량 고객을 대상으로 한 데다 대출금을 갚지 않으면 집을 날리기 때문에 대부분 꼬박꼬박 돈을 갚았기 때문이다.

CDO 시장에서 재미를 본 금융 회사는 새로운 고객을 창출하기 위해 대출 문턱을 낮추었다. 이전과 달리 복잡한 서류를 제출할 필요가 없었던 Subprime_{저신용자} 그룹도 대출을 끼고 집을 사게 됐다. 집값이 꾸준히 오르고 있었기에 금융 회사들은 걱정하지 않았다. 돈으로 못 받으면 집으로 받으면 되지, 하고 낙관하고 있었던 것이다.

그러다가 정신을 차려 보니 부동산 가격이 지나치게 올라 있었다는 것이고, 아차차 했을 때는 늦었다는 것이다. 능력이 한계치에 다다른 서브프라임 계층이 하나둘 나가떨어지기 시작했고 부동산 가격은 폭락했다. 그 결과 미국 최대의 모기지론 대부업체인 리먼 브라더스가 하루아침에 역사 속으로 사라졌다. 그리고 세계적으로 금융 위기가 몰아닥쳤다.

펀더멘탈과 모멘텀

길게 볼 것인가, 단타를 칠 것인가

펀더멘탈Fundamentals은 '기초'라는 뜻으로 기업의 매출, 재무, 미래 가능성, 경쟁력 등 내재 가치를 의미한다. 이익이 높거나 성장할 가능성이 있는 기업을 주식 판에서는 '펀더멘탈이 튼튼하다'고 말한다. 평가가 제대로 반영된 종목으로는 돈을 벌기 힘들기 때문에 저평가된 우량 종목을 매수하여 시장에서 해당 종목의 가치가 상승하기를 기다리는 게 펀더멘탈 투자의 기본이다. 펀더멘탈 투자는 장기 투자에 적합하다. 또한 주식은 상장 폐지상폐가 되면 게임이 끝나 버린다. 이런 부분을 피하기 위해서라도 펀더멘탈 분석은 꼭 필요하다.

모멘텀Momentum은 '가속도'라는 뜻으로 내재 가치보다는 주가의 오름세나 내림세에 얼마나 가속이 붙을 것인가를 예측하는 것이다. 주가 변화를 하나의 선으로 이어 주가 추세의 가속도를 측정할 때 기울기가 동네 뒷산처럼 완만한 종목이 있고, 기울기가 노르웨이 협곡처럼 가파른 종목이 있다.

기울기가 완만한 종목은 크게 떨어지지 않기 때문에 안전한

편이지만 크게 수익을 기대하기도 힘들다. 하지만 기울기가 극적인 종목은 치고 떨어지는 낙폭이 커서 때로는 위험하지만 큰 수익을 기대할 만하다. 모멘텀 투자의 매력은 동력이 강한 종목을 적기에 선택해 빠른 시간 안에 수익을 올리는 것이다. 단타를 노리는 투자자들은 모멘텀이 강한 것을 선호한다.

펀더멘탈은 수익은 낮아도 손해 볼 확률이 적은, 안정적인 투자를 지향하는 사람들의 방법이고, 모멘텀은 조금은 위험해도 투자 대비 높은 수익을 기대하는 사람들이 택하는 방법이다.

정치·경제 19

사드

🔍 미사일을 격추시키는 미사일 시스템

사드THAAD는 탄도 미사일을 격추시켜 떨어뜨리는 시스템을 말한다. 정식 명칭은 '종말 고고도 지역 방어'. 종말이란 발사 후 상승 비행 단계에서 요격하는 것이 아니라, 미사일이 낙하하는 상황에서 고고도 요격을 실행한다는 뜻이다. 사드는 1991년 걸프 전에서 활약한 패트리어트 미사일보다 몇 배 더 강력한 모습으로 비쳐진다.

2017년 한반도 배치 문제로 논란이 됐던 '사드'는 구체적으로 미 육군의 탄도 요격 유도탄anti-ballistic missile 체계를 일컫는다. 탄도 요격 유도탄이란 탄도 유도탄을 요격하는 대공 유도탄을 말하고, 탄도 유도탄이란 발사 지점부터 목표 지점까지 포물선을 그리며 날아가는 유도탄을 말한다. 보통 핵무기가 탄도 유도탄으로 개발되는 것을 감안하면 '사드'는 핵무기까지 격추시킬 수 있는 시스템인 셈이다. 대륙 간 탄도 유도탄ICBM의 경우 5,500km 이상을 날아가는데 북한에서 개발한 대포동 2호가 바로 이 유도탄이다.

대한민국 정부가 한반도에 THAAD 배치를 선포하면서 국제
적으로 사드를 찬성하는 진영, 반대하는 진영으로 편이 갈렸다.
한미일 대 중국·북한이라는 구도가 만들어진 것이다. 다만 중국
은 사드 배치를 중국에 대한 미국의 견제책으로 파악하고, 한국
은 북한에 대한 대응책으로 생각했다는 것이 다를 뿐이다.

  사실 중국은 1990년대부터 국군과 주한 미군을 겨냥해 1,000
개 이상의 미사일을 실전 배치한 상태이다. 사드는 중국이 준비
한 무기에 비하면 장난 수준. 문재인 대통령은 2017년 사드 배치
를 결정하면서 '누구도 아닌 우리의 안보를 위한 것'이라고 못박
았다.

뉴딜

국가의 개입으로 공황을 극복하다

뉴딜New Deal이란 '신정책'이라는 뜻으로 미국의 루스벨트 대통령이 대공황을 극복하기 위해 1933년부터 1938년까지 내놓은 진보적인 정책을 말한다. 대표적으로 일자리 창출을 목적으로 시도된 후버댐 건설이 있다. 결과적으로 미국은 뉴딜을 통해 공황을 성공적으로 극복하고 초강대국의 기틀을 다질 수 있었다.

때는 1929년 10월 24일, 뉴욕 증시가 대폭락 하면서 미국은 급격한 경제 불황 속으로 곤두박질쳤다. 불황의 늪은 점점 깊어져 1,300만 명의 실업자가 거리를 배회했고 물가는 바닥을 쳤다. 이에 당시 뉴욕 주지사였던 프랭클린 D. 루스벨트가 민주당 대통령 후보로 나서 뉴딜을 공약으로 내걸었다.

1933년 3월 백악관에 입성한 루스벨트는 은행을 공황 상태로부터 구출하는 '긴급은행법'을 시행했다. 그는 금의 유출을 막아 통화 안정성을 확보했으며, 금융 시장이 요동치지 못하도록 '증권법'을 통과시켰다. 농산물 가격을 통제하기 위해 '농업조정법'을 제정했고, 일자리 창출과 전력 공급을 목적으로 테네시강에 다목

적댐과 발전소를 건설했다. 노동자 복지를 위해 노동자의 단결권과 단체 교섭권을 보장했고, 연방 채권을 지역 정부에게 발행해 지역이 자체적으로 실업에 대처하도록 했다.

뉴딜이 순조롭기만 한 것은 아니어서 연방 법원으로부터 위헌 판결을 받기도 했다. 하지만 여론은 정부 편이어서 루스벨트는 더욱 진보적이고 공격적인 정책으로 대응할 수 있었다. 국가 시설 공사에 비숙련직 일꾼을 고용하는가 하면, 예술가들을 전폭적으로 지원해 음악, 미술, 연극이 활성화되도록 했다. 이로 인해 330만 명의 실업자가 고용 상태로 돌아가는 성과를 거두었다.

그 외에도 소득세율 상한을 79%까지 끌어올리며 부자세를 대폭 강화하는 법안을 발의했고, 사회 보장을 약속하는 법안을 내놓았다. 일련의 정책에 대해 기득권이 반대하고 나서자 루스벨트는 대통령에게 연방 판사 임명권을 쥐어 주어야 한다는 극단적 카드를 꺼내들었다. 법안은 통과되지 못했지만 중도 성향의 판사들이 루스벨트 쪽으로 돌아서는 계기가 되었다. 루스벨트는 1936년 재선에서 압도적으로 승리했으며 1937년에는 GNP, 산업 생산 지수, 통화량 등의 지표를 대공황 이전 수준으로 되돌려 놓았다.

뉴딜은 '케인즈 이론'에 큰 영향을 받은 것으로 알려져 있는데 인프라 확충, 경기 부양, 노동법, 반독점, 사회 보장 제도의 경우 거의 일치한다. 실제로 뉴딜을 집행하는 과정에서 케인즈가 자문역을 맡기도 했다. 뉴딜의 의미는 자본주의 경제를 포기하지 않으면서 국가가 시장 경제에 개입하여 위기 상황을 돌파할 수 있다는 것을 보여준 데 있다.

이후 국가적으로 위기 상황에 당선된 오바마 대통령이 '신 뉴딜 정책'의 일환으로 '오바마 케어' 등 사회 복지 정책을 실시해 저소득층의 큰 지지를 이끌어냈다.

문재인 대통령도 코로나19 사태 이후 경기 회복을 염두에 두고 디지털 뉴딜과 그린 뉴딜 정책을 펼칠 것을 시사했다. 디지털 뉴딜이란 우리만의 D.N.A 기반 전략으로 데이터Data, 네트워크 Network, 인공 지능AI을 뜻한다.

한편 그린 뉴딜은 화석 에너지 중심의 에너지 정책을 신재생 에너지로 전환하는 과정에서 투자와 일자리를 새롭게 창출하는 정책이다.

머신 러닝

🔍 인공 지능 스스로 학습하고 판단하는 시대

머신 러닝machine learning은 인공 지능Artificial Intelligence, AI의 한 분야로 컴퓨터가 스스로 학습할 수 있도록 알고리즘을 개발하는 분야이다. 우리말로 기계 학습으로 이해할 수 있다.

머신 러닝은 의사 결정 기준에 대한 지침을 소프트웨어에 코딩하는 게 아니라 인공 지능 스스로 알고리즘을 이용해 데이터를 분석하고, 학습하며, 판단하고 예측한다.

포털 사이트에서 제공하는 이메일은 우리가 일일이 분류하지 않아도 훈련을 통해 수신한 메일이 스팸인지 아닌지를 가려낸다. 2016년 이세돌과 겨룬 '알파고'는 수많은 데이터 학습을 통해 상대의 수를 읽는 데 도달했으며, 2021년에는 AI 골퍼 '엘드릭'이 박세리를 눌렀다. 여기서 한 발 나아가 AI는 故 김광석의 목소리를 똑같이 재현하는 데 성공하기도 했다.

테슬라에서 주도하는 자율 주행 자동차, 카카오톡에서 고객 상담을 처리하는 챗봇, 스마트폰에서 유저의 음성을 인식하고 명령을 수행하는 음성 비서에 이르기까지 알게 모르게 우리는 머신 러닝의 혜택을 입고 있다.

머신 러닝의 시대가 열린 데는 2015년 이후, GPU의 속도와 용량이 올라가면서 '빅데이터'가 우리 생활 속에 깊숙이 파고 든 덕이 크다. 그동안 컴퓨터는 논리적인 문제를 푸는 데는 적합하지만 이미지를 분류하거나 음성을 인식하는 등의 불분명한 문제를 해결하는 데는 부적합한 것으로 여겨졌다. 하지만 컴퓨터 공학자들은 데이터만 충분하다면 인공 지능도 불분명한 문제에 대한 명확한 규칙을 가질 수 있어 인간 수준으로 지능을 끌어올릴 수 있다고 주장한다.

딥 러닝Deep Learning은 머신 러닝의 한 분야로 우리말로 심층학습으로 풀이된다. 쉽게 말해 사람이 시각, 청각 정보를 이용해 사물을 직관적으로 파악하듯 기계도 같은 능력을 가질 수 있도록 훈련시키는 것이다. 음성 인식, 글자 인식, 이미지 분류, 자연스러운 번역, 디지털 비서, 자율 주행, 자연어 질문에 대답하기, 프로급 바둑 실력 등이 딥 러닝의 결과물이다.

기축 통화

국제 결제가 가능한 돈

기축 통화基軸通貨, world currency란 국제 결제가 가능한 돈을 말한다. 기축 통화는 '금본위제'에서 국제간 금융 거래가 가능하며, 금처럼 자산 보유의 수단으로 사용할 수 있다. 금본위제란 화폐의 가치를 금의 가치로 나타낸 것을 말한다. 미국 달러화USD는 미국 돈이지만, 미국의 절대적인 경제력을 배경으로 세계적으로 유통 가능한 대표적인 기축 통화다.

글로벌 금융 위기 이후 달러 중심의 현 기축 통화 체제를 IMF가 발행하는 SDRSpecial Drawing Right, 특별 인출권 중심으로 바꾸어야 한다는 주장이 제기되고 있다. '가상 화폐'로 존재하는 SDR을 일반 화폐처럼 발행해 새로운 기축 통화로 만들자는 것이다. SDR은 일종의 통화 바스켓으로 '제3의 통화'로 불린다. SDR은 IMF 회원국이 외환 위기 시 담보 없이 외화를 인출할 수 있는 권리를 갖는다. 현재 달러화, 유로화, 파운드화, 엔화, 위안화가 통화 바스켓을 구성하며 기축 통화로 인정받고 있다.

세계 최초의 기축 통화는 스페인 은화였다. 이 돈은 스페인이

해상 패권을 쥐고 흔들던 17, 18세기 무렵 아메리카와 유럽에서 널리 사용되었는데 이후 19세기 중반에 이르도록 필리핀, 괌 등 스페인 식민지는 물론 중국, 많은 동남아시아 국가에서 법정 통화로 통용되었다.

스페인의 시대가 저물자 영국 파운드화가 기축 통화의 바통을 이어받았다. 파운드화는 19세기 말 세계 무역 거래에서 결제 통화의 60%를 차지했다. 그러나 1·2차 세계 대전을 거치면서 국제 통화 질서가 불안해지자 IMF국제 통화 기금와 IBRD세계은행이 창설되어, 달러화를 중심으로 각국의 통화 가치를 일정하게 유지하는 일을 맡게 되었다.

사모 펀드

사모 펀드私募 fund는 사적으로 모집한 펀드라는 뜻으로 한자와 영어의 합성어다. 금융권에서는 PEFprivate equity fund로 통한다. 사모 펀드는 소수의 투자자에게 자본을 출자받아 기업, 채권, 부동산 등에 투자하여 수익을 낸다는 특징이 있다.

불특정 다수를 대상으로 하는 공모 펀드와 달리 사모 펀드는 회원 구성이 제한적이며 비공개로 진행한다. 현행 증권투자회사법에서는 49인 이하 투자자에게서 자금을 모아 투자하는 펀드를 사모 펀드로 규정하고 있다. 전 법무부 장관 조국 교수 가족은 6인이 구성원으로 있는 사모 펀드에 투자한 것으로 알려졌다.

사모 펀드는 주로 자금 사정이 안 좋은 회사를 인수해 단기간에 회복시킨 후 큰 차익을 남기고 파는 식으로 운용된다. 유명 사모 펀드 회사인 KKRKohlberg Kravis Roberts은 금융 위기 때 OB맥주를 매입하여 5년 만에 400% 수익을 내고 되팔았다.

한국에서 사모 펀드에 대한 인식은 좋지 않은 편인데 2003년 미국 사모 펀드 '론스타'가 외환은행을 인수하고 2012년 매각하면서 5조원의 차익을 실현해 먹튀 논란을 빚었다. 최근에는 라임과 옵티머스가 사기, 부실 투자로 물의를 빚기도 했다. 하지만 대다수의 사모 펀드는 탄탄한 성과를 올리는 중이다. 국내 1위 사모펀드 회사인 MBK는 창립 이래 15년간 15조를 벌어들인 것으로 보고됐다.

한편 조국 교수는 사모 펀드로 인해 법무부 장관 후보자 인사 청문회에서 큰 곤욕을 치루었다. 조국 교수는 청와대 민정 수석에 임명된 지 2개월이 지난 시점인 2017년 7월, 부인과 자녀 2명의 명의로 코링크 프라이빗 에쿼티CO-LINK Private Equity가 운용하는 사모 펀드에 고위 공직자 신고 재산56억여 원보다 많은 74억 5,500만 원을 투자 약정했다. 정경심 교수가 실제 낸 돈은 10억 5,000만 원이다. 여기에는 조 후보자의 아들과 딸 명의로 각각 5,000만원이 들어가 있는데. 5,000만원은 증여세가 부과되지 않는 상한선이다. 여기에다 정 교수의 남동생 정모씨 가족 돈 3억 5,000만원이 추가로 투자됐다.

인사 청문회에서 사모 펀드 투자가 문제가 되자 조국 교수는 공직자 윤리법에 저촉되는 직접 투자주식를 피하기 위해, 주식을 팔아 간접 투자펀드하는 사모 펀드에 돈을 넣은 것이므로 적법이라고 주장했다.

조국 교수는 블라인드 펀드에 투자했음을 강조했는데 블라인드 펀드란 투자 대상을 정하지 않은 상태에서 펀드를 설정한 후 마땅한 투자 대상이 확보되면 투자하는 사모 펀드를 말한다. 자금의 기본적인 운용 계획만 짜여 있을 뿐 실제 어떤 상품에 자기 돈이 투자되는지 알 수 없으므로 아무리 공직자라 해도 투자에 영향을 미칠 수 없다는 것이다.

그러나 문제가 없다는 블라인드 펀드는 바로 도마 위에 올랐는데 공직에서 얻은 정보를 펀드에 알려 줄 소지가 있다는 주장과, 조국 교수 가족이 투자한 사모 펀드라는 게 알려지면 민간 업체가 어떻게든 연결 고리를 만들 거라는 주장이 제기됐다.

여기에 편법 증여 이슈까지 불거졌다. 사모 펀드 약정서 조항에는 '약정서에 명시돼 있는 투자금을 넣지 않을 경우 이미 투자한 돈은 위약금으로 다른 투자자에게 나눠 준다'고 되어 있다. 만약 정경심 교수가 74억 원을 못 낸다면 그때까지 그가 낸 투자금은 다른 투자자들에게 분배될 것이다. 조국 교수의 자녀들도 엄연히 법적인 투자자이기 때문에 이렇게 해서 생긴 돈에 대해서는 증여세를 내지 않아도 된다는 뜻이다.

2020년 12월 29일 있었던 2심 재판에서 사모 펀드 운용사 코링크 프라이빗 에쿼티PE의 총괄 대표였던 조범동 씨39가 자본시장법 위반, 특정경제범죄가중처벌법상 횡령, 증거 인멸 및 증거 은닉 교사, 허위 계약, 허위 공시 등 20가지 혐의로 징역 4년의 실형과 벌금 5,000만 원을 선고받았다. 그는 조국 전 장관의 5촌 조카이다.

한편 조 전 장관의 부인 정경심 동양대 교수는 펀드 운영과 관련해서는 무죄가, 증거 인멸 및 은닉 교사 부분에서는 공모 혐의가 인정됐다.

서킷 브레이커

서킷 브레이커Circuit Breaker는 과부하·누전 시 자동으로 전기를 차단해 주는 회로 차단기를 말한다. 집집마다 설치된 두꺼비집이 그것인데, 전기로 인한 화재를 막는 기능이 있다.

주식 시장에서 '서킷 브레이커'란 주로 폭락장일 때 더 큰 가격 하락을 막기 위해 일시적으로 거래를 차단하는 것을 의미한다. 서킷 브레이커는 증시를 안정시키는 최후의 보루로 국내에서는 한국 증권 거래소가 발동 주체이다.

서킷 브레이커는 단계별로 하루 한 차례만 발동되며 평일 14시 20분, 토요일 10시 50분 이후에는 주가가 아무리 폭락해도 발동할 수 없다. 이는 자본주의 시장 경제에서 개인의 재산권을 완전히 통제하지 않기 위함이다.

서킷 브레이커는 총 3단계로 구분되는데 1단계는 종합 주가 지수가 전일에 비해 8% 이상 하락한 경우에 발동된다. 2단계는 전일에 비해 15% 이상 하락하고 1단계 발동 지수 대비 1%이상 추가 하락한 경우이다. 1단계·2단계 공통적으로 20분간 모든 거래가 중단되며, 이후 10분간 단일가 매매로 거래가 재개된다.

3단계는 전일에 비해 20% 이상 하락하고 2단계 발동 지수 대비 1% 이상 추가 하락할 경우 발동된다. 발동 시점을 기준으로 모든 주식 거래가 종료된다. 한국에서 아직 3단계 발령은 없었다.

가장 최근에 발동한 서킷 브레이커는 2020년 3월 13일 정오에 코로나19 감염증으로 인해 미국 증시가 폭락하면서 코스닥과 코스피에 동시적으로 서킷 브레이커가 발동된 일이다. 서킷 브레이커가 현물 시장코스닥, 코스피 전체에 발령된 것은 그때가 처음이다.

한국 증시는 미국 증시에 큰 영향을 받아 왔는데 1998년 국내에 서킷 브레이커 제도를 도입한 이래 ①2000년 4월 IT 버블 붕괴코스피, ②9월 유가 급등코스피, ③2001년 9. 11 테러코스피, ④2006년 미국 증시 하락코스닥, ⑤2007년 10월 23일, 24일 서브프라임 사태코스닥, ⑥2011년 8월 8일, ⑦9일 미국의 신용 등급 하락코스닥, ⑧2016년 개성 공단 중단코스닥, ⑨2020년 3월 13일, 19일 코로나19코스닥, 코스피 등 총 9차례의 서킷 브레이커 발동 사례가 있었다.

한편 '사이드카'는 선물 시장이 현물 시장에 악영향을 미치는 것을 막기 위한 장치로 '프로그램 매매'를 5분간 정지시키는 제도이다. 프로그램 매매란 사람이 직접 주문하는 것이 아니라 컴퓨터가 대신 주문하는 것을 말한다.

현물 시장이란 개인이나 기업이 거래 사이트 등을 통해 실시간으로 거래하는 시장을 칭하며, 선물 시장은 특정 자산을 특정 시점에, 미리 정한 가격에 사거나 팔 수 있는 권리를 거래하는 것

으로 파생 상품선물, 옵션, 스왑 가운데 하나이다. 사이드카는 서킷
브레이커보다 약한 조치로 경찰 사이드카가 길을 안내하듯 폭락
장을 예방하는 의미가 있다.

블랙 먼데이

일반 명사가 된 1987년 금융 쇼크

블랙 먼데이Black Monday는 주식 시장에서 발생하는 글로벌 금융 쇼크를 의미한다. 1987년 10월 19일 월요일, 다우 지수가 역대 최대인 22.61% 하락하면서 투자자들을 절망의 나락으로 몰아넣었다. 이 날이 마침 월요일이라 블랙 먼데이라는 명칭이 붙은 것. 1929년 10월 24일 목요일 세계 대공황을 불러온 주식 폭락 사태인 검은 목요일Black Thursday을 승계한 작명이다.

이후로 블랙 먼데이는 일반 명사가 되었는데 공교롭게도 미국 주식 시장이 큰 폭으로 하락하던 날짜가 모두 월요일이었다. 특히 1997년 10월 27일은 아시아발 금융 위기로 인해 미국 증시가 6.9% 하락하면서 '피의 월요일'로 불린다.

연구자들은 금융 시장 패닉의 원인을 '목동의 총'에 비유한다. 평화롭던 들판에 갑자기 총성이 울리면 양들은 안전한 곳을 찾아 돌진하는데 이로 인해 탈출구가 막히면서 밟혀 죽는 양이 등장하게 된다. 양들이 단순한 총소리에 놀라듯 작은 소문에 투자자들이 너도나도 주식을 매도하면서 주식이 폭락하는 것이 '목동의 총'이다. 대규모 은행 예금 인출 사태를 일컫는 '뱅크 런'과 유사한 개념이다.

이런 대폭락은 뚜렷한 기준 없이 주기적으로 찾아온다는 데 주식 투자의 어려움이 있다. 과연 총소리가 들리기 전에 대폭락을 예측할 수 있는 방법은 없는 걸까. 연구자들은 팻 테일fat tail 이론으로 주식 시장의 특징을 설명하려 한다. 몸보다 꼬리가 뚱뚱하다는 의미로 정규 분포 모형의 현실적인 한계를 지칭하는 이론이다.

일상의 사건이 평균값을 중심으로 확률이 오르락내리락하는데 반해 주식 시장에서는 극단적으로 주가가 떨어지는 경우가 왕왕 일어난다. 실제로 주가가 20% 넘게 떨어질 확률은 10만분의 1도 안되기 때문에 투자자 입장에서 대비하기가 쉽지 않다. 블랙먼데이는 주식이 수학적인 투자 이론으로는 백전백승하기 어려운 분야라는 것을 단적으로 설명해 준다.

테크노크라트

🔍 기술 관료가 조직을 이끌다

테크노크라트technocrat란 기술 관료를 뜻한다. 기술Technology 과 관료bureaucrat의 합성어이다. 과학적 지식과 기술을 가진 사람이 조직 사회에서 의사 결정을 맡을 때 테크노크라트라고 하며, 테크노크라트가 경제를 관리하는 사회 체제를 테크노크라시 technocracy, 기술 관료제라고 한다. 때로는, 공무원이 매뉴얼화된 행정 관습에 따라 기계적으로 상황 판단을 내릴 때도 기술 관료라는 말을 쓴다.

테크노크라시가 현실 정치에서 구현된 예로 1933년 대공황 극복을 위한 미국의 대규모 토목 공사가 있다. 미국의 루스벨트 대통령은 테네시강 유역 개발, 후버댐 건설 등을 통해 자원을 개발하고, 홍수를 조절하고, 많은 일자리를 창출해 침체된 미국 경제를 되살렸다. 앞서 소련은 1928년 '국민 경제 발전 5개년 계획'을 출범시켰다. 스탈린의 일국 사회주의 건설 이론에 기초를 둔 이 프로젝트는 1991년 소련이 해체될 때까지 총 13차례에 걸쳐 중공업, 철강, 농업 기계 부문에 중점적으로 시행됐다.

테크노크라시는 잘되면 미국의 뉴딜 정책처럼 민관 상생의 기회가 될 수 있지만 지나친 관치 경제를 조장하여, 시장 질서를 교란시킬 우려가 있다. 극단의 상황이 아니라면 기술 관료는 보조적인 역할을 수행하는 데 머물고, 기업가와 노동자의 주도 아래 자연스럽게 시장이 굴러가도록 놔두는 것이 자유 시장 경제 체제의 기본 원칙이다.

테크노크라시가 파시즘과 결합하면 무시무시한 결과를 낳기도 하는데 독일의 테크노-나치즘, 일본의 테크노-군국주의는 세계 공동체 질서를 파괴하고 인류를 대량 살상하는 참극을 불러들였다.

한편 한국에서 테크노크라트라고 하면 경제 관료를 일컫는 경향이 있다. 대표적으로 이명박 전 대통령을 꼽을 수 있다. 그는 정통 관료가 아닌 기업가 출신으로 서울시장 재직 당시 청계천 복원 사업에 성공한 공로를 인정받아 대통령에까지 당선되었다.

정치·경제 27

필리버스터

🔍 긴 발언으로 의사 진행을 방해하다

　　필리버스터filibuster는 의회 내에서 긴 발언을 통해 의사 진행을
방해하는 일로 '무제한 토론'이라고도 한다. 다수당의 횡포를 막
기 위한 소수당의 합법적 권리로 대한민국 국회법은 재적 의원 3
분의 1 이상이 요구서에 서명하여 의장에게 제출하면 필리버스
터를 허락하고 있다. 원칙적으로 필리버스터는 토론이기 때문에
찬반 양측이 번갈아 발언해야 맞지만 보통은 찬성 측 참여자가
없기 때문에 반대 측 토론자의 발언만 계속해서 이어지게 된다.

　　한국 정치 역사상 총 세 번의 필리버스터가 있었다. 첫 필리
버스터는 1964년, 당시 김대중 민주당 의원이 자유민주당 김준
연 의원에 대한 체포 동의안 통과에 반대하여 5시간 19분간 연단
에 오른 일이다. 두 번째 필리버스터는 2016년 2월 23일, 제340
회 국회 임시회 본회의에서 있었던 테러방지법 반대 토론이었
다. 52년 만의 필리버스터로 9일간 38명의 의원이 연단에 올라
192시간 27분간 토론을 이어갔다. 이는 세계 최장 기록으로 꼽힌
다. 마지막 필리버스터는 2019년 12월 26일 종료된 패스트 트랙

반대 건으로, 여야 의원 15명 찬반 토론을 펼친 끝에 50시간 만에 마무리됐다.

가장 화제가 된 것은 2016년 테러방지법 반대 필리버스터였다. 첫 번째 토론자는 2월 23일 오후 7시 5분 발언대에 오른 더불어민주당 김광진 의원. 1981년생, 더민주 최연소 의원이었던 김광진 의원은 '정보위원회 소속 법안소위 담당'으로 테러방지법에 대해 세세하게 알고 있다는 점이 반영되어 첫 주자가 되었다. 마지막 주자는 3월 2일 오후 7시 32분에 토론을 마친 더불어민주당 이종걸 의원이었다. 이종걸 의원은 12시간 31분이라는 최장 발언 시간을 기록했다.

외국의 경우, 성경책이나 일기장을 읽으며 시간을 끌 수 있지만 한국은 법안과 관련된 내용만 발언할 수 있다. 중언부언하지 않고 기승전결에 의거해 긴 발언을 마무리 지어야 하므로 고도의 집중력이 요구되는 작업이 필리버스터다.

NL과 PD

🔍 학생 운동, 반미파와 노동 운동파로 갈리다

NL과 PDNational Liberation and People's Democracy는 전두환·노태우 정권 시절, 한국의 운동권을 이끌던 양대 산맥이다. NL은 민족 해방, PD는 민중 민주를 뜻한다.

NL은 반미 자주화를 부르짖어 '자주파'로 불렸는데 한국 사회를 식민지로 인식하고 미국의 남한 침략과 수탈로 인해 우리 사회의 모순이 생겨났다고 보았다. 이 모순을 해결하기 위해 조선 로동당의 지도 이념인 주체사상을 수용하자는 쪽을 주체사상파주사파라 불렀고, 기존 헌법을 철폐하고 새로운 정부를 구성하자는 쪽을 제헌 의회파CA라 불렀다.

PD는 일명 '평등파'로 한국 사회를 독점 자본주의 체제로 파악하고 마르크스주의 전통에 충실하여 자본가와 노동자의 계급 결함을 해결해야 한다고 주장했다. 소수자, 약자, 노동자의 인권 문제에 큰 관심을 가졌으며 공장에 위장 취업을 하기도 했다.

세월이 흘러 NL이 민노총, 전교조, 민변 등 진보 단체를 이끌며 주류를 자처하자 PD는 NL을 두고 정치적 패권을 장악하는 데

눈이 멀어 현실 문제를 외면한다고 비판했다. 한편 PD는 쌍용차 해고 노동자 문제에 앞장서는 모습을 보였다.

이처럼 두 계열은 사회 인식, 투쟁 방법, 남북한 관계 설정 등을 놓고 심각한 갈등을 빚었는데, 30년 전쟁이라고 할 만큼 감정의 골은 깊어만 갔다.

2011년, 계파를 초월한 통합진보당이 창당됐지만 얼마 못 가비례 대표 부정 선거 의혹과 관련해 두 진영이 크게 충돌하는 사태가 벌어졌다. 이 과정에서 PD계열이 짐을 싸고, 통진당에는 NL만 남게 되었는데 '이석기 내란 선동 사건'이 터지면서 헌법 재판소는 정당 해산을 선고했다. 그렇게 통진당은 공중분해가 되고, 진보 정당은 PD계열인 정의당과 NL계열인 민중당으로 갈라져 각자의 길을 가고 있는 형편이다.

그러나 대다수의 '운동권 학생'들은 NL, PD에 상관없이 586이라는 이름으로 현 문재인 정권의 주축을 형성하고 있다. 운동권 세력이 소위 기득권 세력이 된 것이다.

한편 정치적으로 전혀 다른 행보를 밟는 사람도 있는데 NL의 대부였던 김영환강철은 전향해 북한 민주화 운동에 헌신하고 있다. PD의 황태자였던 김문수는 한나라당으로 당적을 옮겨 3선 의원을 지냈으며, 같은 당적으로 경기도지사 연임이라는 위엄을 달성했다. 현재는 자유한국당, 자유통일당, 자유공화당우리공화당을 거쳐 기독자유통일당에 적을 두고 있다.

러다이트 운동

🔍 기계에게 일자리를 빼앗기다!

러다이트 운동Luddite은 19세기 초반 영국에서 발생한 기계 파괴 운동을 가리킨다. 1811년에서 1817년 사이, 산업 혁명을 통해 등장한 방직기에게 일자리를 빼앗긴 데 분노한 노동자들이 기계를 때려 부수기 시작했다. 러다이트라는 명칭은 당시 기계 파괴 운동을 주도했던 인물이 네드 러드Ned Ludd인 것에서 따왔다.

18세기까지 영국의 산업은 공장제 수공업의 정체성을 가졌다. 공장은 숙련공들의 협업 장소였다. 하지만 증기 기관의 발전으로 기계가 숙련공보다 더 빠르고 정확하게 규격화된 상품을 생산하기 시작했고 숙련공은 거리로 내몰렸다. 이때를 이용해 자본가들은 빵 한 조각 값으로 하루 12시간 이상 노동자를 부려 먹는 등 잇속을 차렸다. 자본가들은 신흥 귀족으로 신분이 상승했지만 노동자들은 끼니조차 잇지 못했다. 부의 재분배가 제대로 이루어지지 않은 것이다.

당시 영국 정부는 일정한 세금을 내는 남성에게만 투표권을 주었기에 노동자, 소작농, 도시 빈민층의 권리를 대변해 줄 장치가 없었다. 투표권도 없고, 집단 행동도 금지된 노동자 계층의 선택이 러다이트 운동이었던 것이다. 그러나 기계 몇 대 부순다고 시대적 흐름을 거스를 수는 없는 일. 기계 사용은 더욱 대중화되었고 산업은 갈수록 발전했다.

그러자 예상치 못했던 일이 벌어졌는데 기계가 직물을 대량 생산하면서 옷의 가격이 내려간 것이다. 한 사람이 여러 벌의 옷을 갖게 되면서 누가 더 옷을 멋스럽게 입나 경쟁이 붙기 시작했다. '패션' 개념이 탄생한 것이다. 패션 산업이 불러온 일자리 창출 효과는 어마어마했다. 처음에는 기계가 사람의 일자리를 빼앗는 듯했지만 결국 기계 덕분에 사람의 일자리가 늘어난 것이다.

4차 산업 혁명 시대를 맞아 인공 지능이 비약적인 발전을 이루면서 단순 노동자, 전문직 할 것 없이 일자리를 잃을 위기에 놓였다. 러다이트 운동이 일어나던 때와 비슷한 상황이 전개된 것이다. 이에 전 국민 기본 소득제를 실시해야 한다는 주장이 대두됐는데 한편으로 인공 지능 덕에 사람은 아무것도 안하고 놀고먹을 수 있다는 낙관적인 주장도 나온 상태이다. 후자대로 된다면 베이컨이 1600년대에 『뉴 아틀란티스』에서 묘사한 '과학적 유토피아 시대'가 도래하는 것이다. 모든 것은 그때 가서야 알 듯하다.

패닉 바잉

🔍 공포가 부른 사재기 열풍

　패닉 바잉panic buying은 가격 상승에 대한 불안감으로 소비자가 생필품, 주식, 부동산 등을 사들이는 일이다. 우리말로 '공황구매' 혹은 '공포의 사재기'라고 할 수 있다. 코로나19 초기, 마트 매대가 텅텅 비는 현상이 유럽과 미국에서 벌어졌다. 이것이 패닉 바잉이다. 하지만 한국은 사재기에 초연한 모습을 보였는데 그 이유에 대해 온라인 쇼핑이 이미 일반화되어 있었다는 설과, 전쟁 루머로 인해 학습 효과가 발생했다는 설이 있다.

　반면 코로나가 한창이던 2020년 여름, 서울 지역 부동산은 뜻하지 않은 패닉 바잉에 빠져들었다. 특히 30대의 매입 비중이 눈에 띄게 늘었다. 이들은 청약 가점이 낮아 아파트 청약을 포기한 '30대 청포자'들로, 자꾸 오르는 부동산 가격에 불안을 느낀 나머지 '이번이야말로 서울에 진입할 마지막 기회'로 여겼다는 분석이다. 여기서 '영끌'이라는 신조어가 탄생했는데 '대출을 받기 위해 영혼까지 끌어 모은다'는 뜻이다. 보통 '30대의 영끌'과 같은 식으로 쓰인다.

주식 시장의 경우 위기 상황이 닥칠 때마다 '패닉 셀링'이 문제였다. 처음 코로나19가 본격화되던 3월에는 서킷 브레이커가 발령될 정도로 전 세계가 패닉 셀링 상태에 빠졌다. 그러나 동학 개미외국인이 매도한 물건을 사들인 개인 투자자들이 방어에 들어가고, 여기에 FOMO 심리fear of missing out, 좋은 기회를 놓치고 싶지 않은 마음가 반영되면서 오히려 '패닉 바잉'을 우려하는 지경이 됐다. 그 밖에 코로나19 시기의 때 아닌 증권가 호황은 미국 중앙은행Fed의 적극적인 개입의 결과라는 설이 있다.

매몰 비용

이미 지출한 돈은 잊어라

    매몰 비용sunk cost이란 한번 지출되면 되돌려 받는 것이 불가능한 비용을 말한다. 애인과 헤어지고 싶지만 그동안 지출한 데이트 비용이 아까워 망설일 경우 주변에서 매몰 비용은 잊으라는 말을 해 주곤 한다. 만남의 과정에서 사용한 비용은 이미 끝난 이야기. 그동안 들인 비용과, 미래의 행복은 상호 독립적으로 존재한다.

    '매몰 비용의 오류'란 매몰 비용에 집착해 합리적 판단을 내리지 못하는 것을 말한다. 경제학 용어로 콩코드의 오류Concorde Fallacy라고 한다. 1976년 상업 운항을 시작해 27년 9개월간 지속하다가 2003년 운항을 중단한 콩코드 여객기는 지구와 우주의 경계까지 솟아 올라가 총알보다 빠른 속도로 날았던 세계 유일의 초음속 여객기였다. 콩코드기는 8시간 넘게 걸리는 파리-뉴욕 구간을 3시간 30분 만에 주파했다.

    그러나 기체의 폭이 좁아서 일반 여객기의 4분의 1밖에 승객을 태우지 못했으며, 요금도 5~10배가량 비쌌다. 돈 많은 부자들만 이용했기 때문에 콩코드기는 만성 적자에 시달렸다. 사실 콩코드의 실패는 개발 단계에서부터 예견된 것이었다. 영국과 프랑스 두 나라의 합작품인 콩코드기는 개발 과정에서 예상한 돈의 20배 이상을 쏟아 부었다. 도저히 수지를 맞출 수 없는 상황이었음에도 두 나라가 콩코드 개발을 강행한 것은 이미 많은 비용이 들어간 데다, 실패를 인정하지 않으려는 국가적 자존심이 작용했기 때문이다. 거칠게 표현하면 '본전 생각에 노름판을 떠나지 못하는 도박꾼 심리'라고 할 수 있다.

매몰 비용과 함께 알아두면 좋은 것이 '기회 비용'이다. 기회 비용은 하나의 재화를 선택했을 때, 그로 인해 포기한 것들 중 가장 큰 것의 가치를 말한다. 자기 계발을 위해 주말에 영어 학원에 다니기로 했던 남자가 연인과 하루 종일 주말 데이트를 즐겼다면 그는 자동으로 자기 계발에 들일 시간과 돈을 포기한 게 된다. 그가 포기한 것을 기회 비용이라고 한다.

정치·경제 32

핀테크

Q 공인 인증서 없이 금융 거래

핀테크FinTech는 금융Finance과 기술Technology의 합성어로 쉽게 말해 IT 환경에서의 금융 서비스를 말한다. 일반적으로 비금융 기업이 IT 기술을 기반으로 이용자에게 지급 결제 서비스 등을 제공하는 것을 뜻한다.

핀테크는 '금융 혁명'이라 불릴 만큼 금융 산업에 일대 혁명을 가져왔는데 간편 결제, 환전, 주식, 크라우드 펀딩, 대출은 물론 블록체인·가상 화폐를 활용한 송금, 챗봇, 로보 어드바이저 같은 자산 관리 서비스로까지 확대되고 있다. 팬데믹 이후 비대면이 뉴노멀로 자리 잡으면서 핀테크는 선택이 아닌 필수가 됐다.

모바일 뱅킹 이전 한국 금융사의 서비스는 액티브 X나 공인 인증서를 거쳐야 하는 등 매우 열악했다. 그러나 삼성, 네이버 등 비금융 기업이 IT 기술을 활용해 삼성 페이, 네이버 페이, 카카오 페이 등의 금융 서비스를 제공하면서 은행 업무가 편리해지고 절차가 대폭 간소화됐다. 핀테크의 확대에는 스마트폰과 AI, 빅데이터 등의 기술 발전이 큰 몫을 했다고 할 수 있다.

블록체인

🔍 은행 없이 당사자끼리 결제하다

블록체인은 거래 정보를 중앙 서버가 아닌 네트워크 참여자들이 분산 공유하여 관리하는 기술을 말한다. 블록체인이라는 이름도 데이터베이스 블록이 체인 형태로 여러 사람과 연결되는 데서 따왔다. 블록체인 하면 비트코인 같은 암호 화폐를 먼저 떠올리지만 일부의 예일 뿐이다.

블록체인은 대표적인 4차 산업 혁명 기반 기술로 다양한 분야에서 응용될 수 있다. 세계경제포럼WEF은 2025년에 이르면 GDP 10% 이상이 블록체인 기반 플랫폼에서 발생할 것으로 내다본다.

기존 거래가 은행에서 장부를 관리하는 통일된 시스템이었다면 블록체인 방식은 장부를 분산시켜 투명하고 개방된 거래를 지향한다. 당사자끼리 직접 거래하므로 거래 시간이 단축되며 지금, 결제, 송금에 있어 수수료가 크게 절감되는 장점이 있다.

블록체인은 크게 두 가지로 나뉘는데 '퍼브릭 블록체인'의 경우 알고리즘으로 작동하기에 안정성, 신뢰성, 투명성, 분권화를 보장한다. 다만 익명의 거래 증명자들이 개입하므로 확장성이 낮고, 거래 속도가 느리다는 단점이 있다. 퍼브릭 블록체인은 비트코인과 같은 가상 화폐 시장에서 주로 활용된다.

'프라이빗 블록체인'의 경우 허가받은 사용자만 접근 가능하며 중앙 기관이 거래를 증명해 주는데 이렇게 되면 효율성과 확장성이 증가하여, 처리 속도가 빨라지는 장점이 있다. 다만 보안성은 떨어진다. 프라이빗 블록체인은 현재 월마트에서 활용 중이다. IBM과 월마트가 협업하여 공급자가 소비자에게 식품을 전달하기까지의 과정 즉 가축 농장, 과실수, 운송, 가공, 쇼핑몰 각 단계에 사물 인터넷을 부착하여 모든 정보를 블록으로 생성, 각 업체와 소비자가 실시간으로 감시하고 있다.

향후 중고차 거래에 있어서 제조사, 보험사, 정비 회사가 출고, 수리 정보 등 차량 이력을 블록으로 생성해 모든 사람이 공유하면 허위 매물이나 사고 차량 허위 기재 등의 문제가 사라질 것으로 내다보고 있다.

학자들은 자율 주행과 블록체인을 결합시키면 시간을 돈으로 사고파는 일도 가능할 것으로 예측한다. 도로가 정체될 경우 갈 길이 바쁜 사람은 앞의 차에게 길을 비켜 주는 조건으로 일정 금액을 지불하는 식이다. 길을 비켜 주었다는 것만으로 돈을 번다! 기술적 기본 소득제의 세상도 멀지 않은 셈이다.

『블록체인 혁명』은 블록체인의 참 의의를 논한다. 세계는 번영의 시대를 맞이했지만 모든 사람이 다 잘 사는 게 아니다. 각 국가는 부를 재분배하기 위해 세금을 활용하지만 세계적으로 만연한 분노, 극단주의, 외국인 혐오를 잠재우지 못하고 있다. 그러나 블록체인 시대가 오면 부의 생성과 출발 자체가 변화할 것이므로 더 이상 실리콘 밸리와 같은 소수 그룹이 세계 경제를 독점하기 어려워진다는 것이다. 진정한 부의 재분배 시대가 올지 두고 볼 일이다.

비트코인

블록체인에 기입되는 암호 화폐

　비트코인bitcoin은 암호 화폐의 하나로 온라인상에서 유통되는 가상의 돈이다. 단위는 BTC이다. 다양한 암호화 기술, 작업 증명 방식을 필요로 한다는 점에서 일반 가상 화폐이를 테면 사이버 머니와 구분해 암호 화폐cryptocurrency로 부르고 있다.

　비트코인은 사토시 나카모토라는 프로그래머에 의해 2009년 1월, 프로그램 소스가 배포되었는데 초창기에만 해도 1비트코인의 가치는 10원도 안 됐다. 그러던 것이 2021년 4월 8,000만 원까지 올랐다. 비록 같은 해 6월 3,200만 원대까지 급락하긴 했지만 초창기와 비교하면 어마어마한 상승 폭이라고 할 수 있다.

　이런 믿기지 않는 일이 벌어지는 것은 비트코인의 채굴량에는 한계가 있어 남보다 많이 갖고 있으면 가치가 오를 것이라는 기대감 때문이다. 그렇다면 왜 지폐, 신용 카드와 같은 기존의 돈이 있음에도 사람들은 암호 화폐를 만들어 낸 걸까?

　우리는 은행을 믿고 금융 거래를 한다. 은행은 믿을 만한 존재지만 신용카드 수수료를 적지 않게 요구하며, 대출 이자도 많이 물린다. 이런 것을 비합리적으로 느낀 사람들이 은행 없이 개인 끼리 직접 거래를 하면 어떨까 궁리했다. 모든 사람이 볼 수 있는 장부가 있어 모든 사람이 감시자가 된다면 굳이 은행이라는 믿을 만한 제3자의 개입이 필요 없을 것 아닌가.

그리하여 사람들은 거래 정보를 은행이 아닌 네트워크 참여자들이 분산 공유하여 관리하는 기술을 발명했는데 이것이 블록체인이다. 블록체인의 핵심은 누구나 볼 수 있지만 함부로 손 댈 수는 없어야 한다는 것이다. 이것을 실현하기 위해서는 특별한 장치가 필요하다. 이 장치는 슈퍼컴퓨터를 동원해야 할 만큼 매우 복잡한 수학적 계산을 통해 만들어진다. 이같이 힘든 일을 해낸 사람에게 보상 개념으로 주어진 것이 비트코인이다.

그렇다면 비트코인을 실생활에서 사용할 수 있을까. 2013년 12월, 인천의 한 파리바게뜨 가맹점이 최초로 비트코인을 받고 빵을 팔았다는 기록이 있다. 이후 비트코인을 취급하는 점포가 잇따라 등장했지만 화폐의 가치가 급등락함에 따라 결제 수단으로서의 기능은 유실된 상태이다. 하지만 이런 과도기를 거쳐 안정기에 접어들면 비트코인은 일상생활에 큰 편의성을 가져다 줄 것으로 전문가들은 예측하고 있다.

1비트코인은 가치가 너무 크기 때문에 일상에서는 이를 잘게 쪼갠 단위인 사토시_{비트코인 창시자를 기리는 명칭}를 사용하게 된다. 1사토시는 소수점 8자리인 0.0000001로 우리돈 0.7원에 해당한다.

함께 읽기 | 알렉스 프록샤트 외 『비트코인 탄생의 비밀』

정치·경제 35

NFT

Q 　　디지털 자산의 등기부 등본

NFTNon-Fungible Token, 대체 불가능 토큰란 다른 것으로 교환이 불가능한 '토큰소유권'을 말한다. 그렇다면 대체 가능 토큰Fungible Token이란 것도 있을까? 당연히 있다. 암호 화폐, 일반 화폐, 버스 토큰이 모두 '대체 가능 토큰'이다. 은행에 헌 지폐를 들고 가면 빳빳한 새 지폐로 바꿔 준다. 1만 원 한 장은 5,000원권 두 장과 맞바꿀 수 있다. 이처럼 1:1 교환이 가능한 것이 '대체 가능 토큰'이다.

반면 '대체 불가능 토큰'은 누구와도, 어느 것과도 바꿀 수 없는 고유의 토큰을 말한다. 토지 문서, 주택 등기부 등본, 항공권이 대표적인 예다.

블록체인 개념 안에서 NFT라고 하면 디지털 자산의 등기부 등본을 뜻한다. 여기서 디지털 자산이란 온라인으로 유통할 수 있는 모든 창작물이 해당된다. 그동안 디지털 창작물은 기술적으로 쉽게 복제가 가능했기에 그 가치를 인정받지 못했다. 그러나 NFT를 적용하게 되면서 디지털 콘텐츠도 실물과 같은 희소성, 고

유성이라는 가치를 부여받게 되었다.

디지털 아티스트 비플Beeple의 NFT 작품은 크리스티 경매에서 램브란트 그림보다 비싼 777억 원에 팔렸고, 고양이 키우기 게임 '크립토키티'의 디지털 고양이 '제네시스'는 1억 2,500만 원에 팔렸고, 트위터 창업자 잭 도시의 첫 트위터 메시지는 33억 원에 팔렸고, 한 영화감독이 올린 방귀 소리는 50만 원에 거래되었다. 누군가 이들 작품을 온라인에서 사용하려면 권리를 가진 사람에게 저작권료를 지불해야 한다.

NFT가 디지털 자산에 고유의 가치를 심어 줄 수 있었던 바탕에는 블록체인 기술이 있다. 블록체인 장부에 창작물을 사고 판 거래 기록을 올리면 해킹과 변조가 불가능해진다.

NFT를 거래하기 위해서는 몇 가지 순서를 따라야 하는데 첫째, 지갑을 생성해야 한다. 지갑이란 암호 화폐를 보관할 수 있는 가상의 보관소를 말한다. 지갑은 오픈씨OpenSea와 같은 NFT 거래소를 방문하면 만들 수 있는데 통장 비밀번호시드구문를 작성한 후에 생성된다.

둘째, 지갑이 생겼다면 돈을 넣어야 한다. NFT에서 통용되는 화폐는 이더리움ETH이다. 이더리움은 암호 화폐 거래소에서 구할 수 있다.

셋째, 지갑에 돈이 있으니 이제 물건을 살 수 있다. 장터로 들어가는 문은 오픈씨 메인 화면의 'explore' 버튼. 파란색 익스플로러 버튼을 클릭하면 다양한 상품이 뜬다.

아직은 암호 화폐 시장의 변동성이 크기 때문에 가령 1이더현

230만 원를 주고 그림을 구입했다면 이더리움의 시세에 따라 한 달 뒤 200만 원 혹은 300만 원으로 가격이 등락할 수 있다.

정치·경제 36

반동강 매매

🔍   큰 손실을 막기 위한 단계적 투자법

반동강 매매半동강 買賣는 투자법의 하나로 암호 화폐를 사거나 팔 때 조금씩 나누어 매매하는 방법을 말한다. 이렇게 하면 코인 가격이 급락할 때 큰 손실을 막을 수 있을 뿐만 아니라 투자금 전액이 고점에 물리는 것을 방지할 수 있다.

암호 화폐는 주식에 비해 가격 변동성이 크기 때문에 큰돈을 벌 확률도 높지만 그만큼 큰돈을 잃기도 쉽다. 주식계의 금언이 '계란을 한 바구니에 담지 말라'라면 코인계의 금언은 '지갑을 한 꺼번에 열지 말라'가 될 것이다.

반동강 매매의 예를 들어보자. A 코인을 사고 싶은데 가진 돈 이 1,000만 원이다. 이때 1,000만 원을 한꺼번에 투자하는 것이 아니라 200만 원짜리 다섯 뭉치로 만든 후 먼저 현 시세에 200만 원어치만 산다. 그런 뒤에는 50% 내린 가격에 200만 원, 25% 가 격에 200만 원, 12.5% 가격에 200만 원, 6.25% 가격에 200만 원 어치가 자동으로 매수되도록 예약을 걸어 두는 것이다. 그러면 가격이 급락했을 때 손해를 덜 보면서 상대적으로 저렴한 가격에 해당 화폐를 살 수 있다.

매도할 때도 마찬가지다. 보유하고 있는 코인 수량을 여러 등분으로 나누고 매수 평균 단가에서 코인 가격이 두 배씩 오를 때마다 한 덩어리씩 매도한다. 이를 2배수 매도라고 한다. 반동강 매매는 투자 리스크를 줄여 줄 뿐만 아니라 하루 종일 암호 화폐 거래소를 들락거리며 발을 동동 구르는 일이 없도록 해준다. 진정한 투자는 내 시간을 최소한으로 사용하면서 자산을 불리는 것이다.

특히 최근에 가격이 급등한 화폐는 언제든지 원래 가격이나 그 이하로 급락할 가능성이 있으므로 반동강 매매를 적극 활용할 필요가 있다. 거래 물량이 적은 화폐 역시 변동성이 크므로 이에 대하여 대비를 해 두어야 한다.

반동강 매매에서 원화 금액의 등분 수는 코인의 차트를 보고 과거 저점보다 더 내려가더라도 매수할 수 있도록 대비하여야 하며, 2배수 매도에서 코인 수량의 등분 수는 향후 코인 가격 상승 폭에 따라 몇 배수까지 매도할지 먼저 결정하고 정할 수 있다. 결론적으로 변동성이 큰 코인일수록 원화 금액, 코인 수량의 등분 수를 더 많이 가져가야 한다.

반동강 매매는 가격 급락 시 충분한 수량을 확보하기가 용이하다는 장점이 있는 반면 가격 급락이 안 오면 코인 매입의 기회가 없다는 단점도 있다.

'반동강 매매'가 가격을 기준으로 한 분산 투자라면 '적립식 매입'은 시간을 기준으로 한 분산 투자이다. 적립식으로 매달 일정 금액을 투자하여 코인을 매수하면 가격 급락을 기다리느라 현금을 묵힐 필요가 없다. 다만 적립식 매입은 가격 급락 시 충분한 수량을 매수하지 못한다는 단점이 있다. 적립식 매입은 주식 투자에도 적용할 수 있는데 가격 변동성이 크지 않은 지수추종 ETF를 매입할 때 용이하다. KODEX 200, TIGER 200 등은 KOSPI 200 지수를 추종하는, 200개 종목의 우량주를 묶은 인덱스 펀드이다. 고배당주 적립식 투자의 경우 적립식으로 매입하면 은행 이자를 웃도는 배당금을 받을 수 있다.

출처 | 페이스북 '코인의 신' 그룹, 김강모 포스팅

정치·경제 37

뉴노멀

비정상이 정상이 될 때

　뉴노멀New Normal은 과거에는 비정상적이었던 상황이 점차 표준으로 자리 잡는 것을 말한다. 뉴노멀은 2008년 글로벌 금융 위기 이후 저성장, 저금리, 저물가가 새로운 경제적 기준이 되면서 등장한 용어지만, 최근 포스트 코로나 시대를 맞아 지구촌이 맞게 된 대변화를 뜻하는 단어가 됐다. 이름 하여 '코로나 뉴노멀'이 그것이다. 중국은 '뉴노멀' 대신 새로운 정상 상태라는 뜻으로 신창타이新常態라는 단어를 쓴다.

　BCBefore Corona·코로나 전와 ACAfter Corona·코로나 후라는 말이 있을 정도로 코로나 이전과 이후의 우리의 삶은 180도 달라졌다. 어느덧 우리의 모든 소비, 생산은 코로나19가 기준이 됐는데 코로나 뉴노멀의 두드러진 특징으로 언택트, 탈세계화를 꼽을 수 있다.

　마이너 옵션이었던 비대면이 메이저 옵션으로 자리 잡게 된 것은 대면 접촉에 따른 코로나 감염을 피하기 위해서다. 팬데믹이 선포된 이후 전 세계인은 먹고, 마시고, 놀고, 일하고, 공부하는 데 있어 '비대면 비접촉' 원칙을 따르고 있다. 이미 온라인 쇼핑과 무인 점포는 우리 생활에 깊숙이 들어와 있고, 향후 산업계 전반에 걸쳐 비대면 경제, 플랫폼 경제, 홈코노미Economy at Home 가 자리 잡을 전망이다.

책『뉴노멀로 다가온 포스트 코로나 세상』을 보면 코로나 백신 접종 이후에도 '과거로 돌아가지 않을 현재'로 모바일 쇼핑을 비롯한 언택트 유통, 게임과 미디어를 포함한 언택트 엔터테인먼트, 언택트 교육을 꼽고 있다.

코로나 이후 또 하나의 두드러진 특징은 네이션 퍼스트nation first이다. 코로나로 인해 전 세계가 방역 비상에 걸리면서 자동적으로 인적, 물적 교류에 제동이 걸렸다. 항공, 호텔 등 해외 여행 산업이 쇠퇴하고, 마치 과거로 회귀하듯 자국 안에서 대부분의 공급과 수요가 이루어지고 있다. 코로나로 인한 탈세계화 현상은 '자국민에 의한, 자국민을 위한 정책'을 최우선으로 삼는 계기가 됐다.

전문가들은 '뉴노멀 시대'에 살아남기 위해서는 새로운 표준을 선점해야 한다고 입을 모은다. IT 강국으로서 미래 산업에 과감하게 투자해야 한다는 분석이 그것이다. 여기서 한 발 나아가『뉴노멀로 다가온 포스트 코로나 세상』은 개인의 성품이 더욱 중요한 시대가 되었다고 말한다. 인류는 곧 AI인공 지능 등 똑똑한 기계에 둘러싸이게 될 터인데 이를 통제하려면 개발자가 어떤 가치를 품고 있느냐가 중요해진다는 것이다. 이처럼 뉴노멀은 세계 경제 구조를 바꾸고, 사회 구조를 재편하는 중에 있다.

함께 읽기 | 고환상 외『뉴노멀로 다가온 포스트 코로나 세상』

행복한 삶을 위한 사유

철학·과학

동굴의 비유

🔍 현상 너머에 실재가 있다

　동굴의 비유는 플라톤이 자신의 이데아론을 설명하기 위해 지어낸 이야기이다. 인간은 감각이라는 원료를 가지고 있는데 이것을 참된 지식으로 만들기 위해서는 이성이라는 기계를 돌려야 한다. 이때 이성이 인식할 수 있는 최고의 지식이 이데아라는 게 플라톤의 주장이다.

　어느 깊은 동굴에는 죄수들이 사슬에 묶여 있어 바깥과 차단되어 있다. 동굴 속에서는 횃불이 타오르는데 죄수들은 그 불로 인해 벽에 어른거리는 자신의 그림자만 볼 수 있다. 그들에게 있어 동굴 벽은 세상이요, 그림자는 자신이다.

　그러던 어느 날 죄수 한 명이 사슬에서 풀려나 동굴 밖으로 나오게 된다. 눈부신 세상 속에서 그는 눈조차 제대로 뜨지 못한다. 그러다가 차차 밝음에 눈이 익어 산과 들과 나무를 보게 된다. 바깥세상에 눈을 뜨게 된 것이다. 이윽고 그는 동굴 속의 그림자 세계가 허상이고, 동굴 바깥세상이 진짜라는 사실을 알게 된다. 만약 이 죄수가 동굴로 돌아가 바깥에 진짜 세상이 있다고 설명하면 어떻게 될까. 그들은 쉽게 믿으려 들지 않을 것이다. 그들은 자신의 감각만을 신뢰하기 때문이다.

플라톤이 동굴의 비유에서 말하고자 하는 것은 세계는 카피본이요, 이 카피본을 있게 하는 원본은 따로 있으니 그것이 이데아라는 것이다. 이렇듯 세상은 현상과 본질이라는 이중 구조로 되어 있다는 것이 플라톤의 이원론이다. 플라톤은 철인 정치를 펼침으로써 미망에 사로잡힌 대중을 참된 지식의 세계로 인도해야 한다고 주장했다.

함께 읽기 | 플라톤 『플라톤의 국가』

코기토

🔍 나는 생각한다, 고로 나는 존재한다

코기토는 '코기토 에르고 숨Cogito ergo sum'의 준말로 '나는 생각한다, 고로 존재한다'이다. 데카르트가 1637년 그의 저서 『방법서설』에서 처음으로 사용한 명제이다. 이 명제를 통해 데카르트는 근대 철학의 시조가 되었다.

데카르트 이전까지 철학은 중세 신학의 영향 아래 있었다. 데카르트 이전의 '나'는 신의 피조물로서 신의 섭리에 속박되던 '나'였으나, 데카르트 이후의 '나'는 스스로 생각하는 주체로서의 '나'가 되었다.

데카르트는 진리의 기준으로 명석판명clear & distinct을 내세웠다. 명석판명이란 명확하고 뚜렷한 인식을 일컫는다. 한 점의 의혹도 없이 확실한 것이 세상에 있을까? 있다면 무엇일까? 모든 사물은 감각의 오류, 꿈, 광기가 주는 환상으로부터 자유롭지 않다. 모든 것이 의심스러운 가운데 단 하나의 예외가 있으니 바로 내가 의심하는 동안 나는 생각하며, 내가 생각하는 동안 나는 존재한다는 사실이다. 데카르트는 코기토를 끌어내기까지의 과정에

'방법적 회의'라는 이름을 붙였다.

　세상 어느 것도 확신하지 못하더라도 나 자신의 사유에 의해, 나의 인식을 의심하는 존재로서 나 자신을 인식하고 있다면 이것이야말로 논란의 여지가 없는 진리가 아니겠는가.

　라캉은 데카르트의 코기토를 빗대 '나는 내가 존재하지 않는 곳에서 생각하고, 내가 생각하지 않는 곳에서 존재한다'라는 말을 남겼다. 데카르트가 신 대신 나를 주체성의 주인으로 내세웠다면 라캉은 무의식적 욕망을 나의 주인 자리에 둠으로써 나의 주체성마저 부정했다.

정언 명령

정언 명령定言 命令, Categorical Imperative은 칸트 철학에서 어떤 상황에서든 무조건 따라야만 하는 도덕 법칙을 말한다. 칸트는 "생각하는 것이 거듭되면 될수록, 또한 길면 길수록 더 새롭고 강한 감탄과 숭앙의 정념으로써 마음을 충만케 하는 것이 둘 있다. 우리 위에 있는 하늘의 별과 우리 내면의 도덕 법칙이다."라고 했다.

도덕 법칙이 명령의 형태를 띠는 것은, 목적에 대한 수단으로 선을 베푸는 게 아니라 명령 그 자체가 목적인 '무조건적인 명령'이기 때문이다. 도덕 법칙은 실천 이성이 우리 스스로에게 부과한 자율적 명령이기에 재능이나 행복마저 초월하여 홀로 찬란히 빛난다.

칸트의 정언 명령은 두 가지로 요약된다. 하나는 "네 의지의 준칙이 언제나 보편 법의 원리에 합당하게 하도록 하라."는 것이다. 스스로 생각하기에 다른 모든 사람이 해도 괜찮다고 생각되는 행동을 해야 한다는 뜻이다. 이것을 보편주의 원칙이라고 한다.

다른 하나는 "인간을 항상 목적으로 대하고 결코 수단으로서 사용하지 않도록 하라."는 것이다. 인간은 절대적인 가치를 지닌 인격체로, 그 '자체가 목적'이기에 그에 합당한 존엄한 대우를 받아야 한다는 것이다. 이것을 인격주의 원칙이라고 한다.

한편 때와 장소에 따라 달라지는 명령을 가언 명령假言 命令이라고 한다. '무조건 선을 추구하라'가 정언 명령이라면 '부정 축재한 사람의 물건을 훔쳐다 가난한 사람을 돕는 것은 의로운 일이므로 이런 나쁜 짓은 괜찮다'는 것은 가언 명령이다.

칸트의 정언 명령은 정직하고 바른 사회를 지향하지만 개인의 의무에 대해 구체적으로 말해 주지 않는다는 점에서 '추상적 보편성'이라는 한계를 지니고 있다. 그래서 정언 명령은 형식적으로 불완전하고 내용적으로 텅 비어 있다는 비판을 받곤 한다.

함께 읽기 | 칸트 『실천이성비판』

구체적 보편성

무엇이 선인가

　구체적 보편성Concrete universality이란 헤겔 용어로 새로운 역사
적 상황 속에서 채정의 되는 '편파적' 보편성을 의미한다.
　칸트의 정언 명령은 '추상적 보편성'이다. 구체적인 내용이 들
어 있지 않기 때문이다. 이 빈 공간을 채우려면 '무엇이 선인가'
하는 물음이 필요하다. 슬라보예 지젝은 헤겔의 '구체적 보편성'
을 이 시대의 도덕률로 상정하면서 칸트의 도덕 법칙은 나의 의
무가 무엇인지 말해 주지 않은 채 단지 의무만 다할 것을 강조하
므로 악용의 소지가 있다고 주장했다. 아돌프 아이히만도 홀로
코스트의 계획과 실행에 있어 자기 역할을 정당화하기 위해 칸트
윤리학을 참조하지 않았는가. "나는 나의 의무를 다했을 뿐이다!"
　이런 불행한 사태를 막기 위해 지젝은 도덕 법칙의 추상적 명
령을 일련의 구체적 책임으로 번역할 책임을 주체에게 부과한다.
칸트의 도덕률은 완벽하다. 단 주체가 정언 명령을 완성할 도덕
적 책임을 가졌을 때만 그러하다.
　지젝은 '정치의 윤리화'에서 한 발 나아가 '윤리의 정치화'가

필요하다고 했다. 정치란 저속한 권력 싸움이 아니라 공동의 운명에 대한 근본적인 결정 과정이 되어야 한다는 것이다. 인류 공동의 운명에 책임을 지는 것이 윤리의 정치화이자 구체적 보편성이다.

헤겔의 '구체적 보편성'을 편파적인 보편성이라 이르는 것은, 중립적 보편성이란 게 그 사회의 지배 이데올로기에 불과하기 때문이다. 중립적 보편성은 다수의 특수한 내용들이 투쟁 과정에서 획득한 헤게모니와 다름이 없다.

편파적 보편성에 지젝은 '예외'라는 이름을 붙였다. 예외란 공동체 속에서 어떠한 자리도 가지지 않은 요소로 보편적인 차원을 대표한다. 가령 모든 사람은 그 나라 법에 구속되어 법의 보호를 받는다. 하지만 외국인 노동자, 노숙자는 예외이다. 이들은 아무것도 가진 게 없어, 잃을 게 없는 사람이다. 그런데 이 예외는 보편이 무엇인지 드러내 주는 중요한 역할을 맡고 있다. 이들이야 말로 윤리의 정치화를 실현할 열쇠이기 때문이다. 기독교 교회가 출현하기까지 바울의 배반이라는 예외가 필요했고, 마르크스 이론이 실행되기까지 레닌의 배반이라는 예외가 필요했듯이 말이다.

함께 읽기 | 슬라보예 지젝 『까다로운 주체』, 『잃어버린 대의를 옹호하며』

철학·과학 5

이율배반

Q.　둘 다 옳지만 양립할 수 없는 명제

　　이율배반二律背反, antinomy은 논리적으로 일면 타당한 근거를 가지면서 양립할 수 없는 모순된 두 명제를 뜻한다. 모든 이율배반은 테제와 안티테제로 구성된다. 칸트가 그의 저서 『순수이성비판』에서 제시한 네 가지 이율배반은 다음과 같다.

　　첫째, 시간은 시작이 있고, 공간적으로 한정되어 있다. 이에 대한 안티테제는 '세계는 시간적, 공간적으로 무한하다'이다. 테제, 안티테제 둘 다 타당해 보이지만 둘을 동시에 납득할 방법은 없다. 인류는 오랜 시간, 우주의 시작과 끝을 연구해 왔다. 빅뱅 이론, 상대성 이론, 양자 역학 등 시간과 공간에 대한 답을 제시하려는 노력이 이어져 왔지만 그 비밀을 완전히 풀지 못했다. 우주가 여전히 팽창하는 중이라는 정도만 짐작할 수 있을 뿐이다. 시공간은 경계가 있지만 그 경계가 무한히 팽창 중이라면 시공간은 유한한 것인가 무한한 것인가.

　　둘째, 물질은 더 이상 쪼갤 수 없는 단순한 부분으로 이루어졌다. 이에 대한 안티테제는 '물질은 분할 가능하다'이다. 이 테제,

안테테제 역시 이율배반적이다. 우리는 그동안 더 이상 쪼갤 수 없는 단순한 물질을 원자라고 생각했다. 그러나 이 원자는 중성자, 양성자, 전자와 같은 소립자로 이루어진 것이 드러났다. 이 소립자는 너무 작아 우리가 눈으로 관찰할 방법이 없다. 보이지도 않는 것을 자를 방법이 있을 리 없다. 하지만 누군가 그것을 관찰할 방법을 찾아내고, 그것을 잘라 낼 아주 날카로운 칼을 발명하기만 한다면 불가능한 일은 아니다.

셋째, 인간에게는 자유 의지에 의한 인과성이 존재한다. 이에 대한 안티테제는 '인간은 운명에 묶인 존재이다'가 될 것이다. 인간의 미래는 확정된 것일까. 아니면 의지로써 바꿀 수 있는 것일까. 테제가 옳다, 안티테제가 옳다 대답하기 어려운 문제다.

넷째, 세계에는 하나의 필연적인 존재자가 있다. 이에 대한 안티테제는 '신은 없다'이다. 인간은 신의 존재를 증명하지 못했지만, 부재를 증명하지도 못했다. 정신 분석가 라캉은 '신은 무의식'이라고 했다. 신은 존재하되 우리가 생각하는 그 신은 아니라는 것이다. 테제, 안티테제 중 어느 것이 옳다고 할 수 없다.

칸트는 순수 이성 외에 실천 이성, 판단력에 대해서도 각기 이율배반을 제시했다.

함께 읽기 | 칸트 『순수이성비판』

이성의 간지

Q   세상은 순리대로 흘러간다

이성의 간지List der Vernunft는 이성의 간교한 지혜라는 뜻으로 헤겔의 『역사철학강의』에 등장하는 용어이다. 헤겔은 역사를 세계이성Weltgeist이 자기를 실현하는 과정으로 보았는데 그 도구로서 간교한 지혜이성의 간지를 사용한다고 했다. '이성의 간지'와 비슷한 개념으로 라이프니츠의 '예정 조화', 아담 스미스의 '보이지 않는 손', 칸트의 '자연의 의도'가 있다. 기독교에서는 '신의 섭리'라는 말을 쓰며, 우리말로는 '순리'가 가장 비슷하게 들어맞는 표현이다.

혁명을 통해 프랑스가 왕정을 무너뜨리고 공화정을 세웠다면 세계이성이 간교한 지혜를 부려 혁명을 역사 발전의 수단으로 삼은 게 된다. 헤겔은 세계이성이 자기 자신을 다 펼쳐서 완성될 때 세계의 역사도 완성된다고 했다.

일각에서는 이성의 간지가 개인을 꼭두각시로 만든다는 비판이 있지만, 이성의 간지를 모든 사람이 무의식중에 바라고 있는 생각이라고 해석하면 꼭두각시 운운은 타당하지 않다. 세상은 이

치대로 굴러가게 되어 있다.

　이성의 간지를 말할 때 빠질 수 없는 개념이 헤겔의 '변증법'이다. 헤겔의 변증법은 세계이성이 자기를 실현하는 과정을 보여준다. 대립물의 투쟁에 있어 하나의 대립물은 다른 대립물에 의해 부정되는데 이 둘은 보다 높은 차원의 역사적 발전에 의해 근본적으로 부정당하게 된다. 여기서 근본적 부정이란 상황에 대한 부정이 아닌 시스템적 부정을 말한다. 가령 "나쁜 군주가 좋아? 좋은 군주가 좋아?" 라는 물음에 대해 '좋은 군주'라고 대답하는 게 아니라 "군주 따위 필요 없어!"라며 군주제를 뒤엎어 버리는 게 근본적 부정이다.

함께 읽기 | 게오르그 빌헬름 프리드리히 헤겔 『역사철학강의』

인정 투쟁

Q   무시와 모욕이 사회적 폭동을 낳다

인정 투쟁認定 鬪爭, Recognition Struggle이란 인간이 타인으로부터 자기를 인정받기 위해 벌이는 싸움을 말한다. 인간이 사회적 주체로 살아가기 위해서는 타인의 인정이 필요한데 이것은 거저 얻어지는 것이 아니라 투쟁을 통해 쟁취해야 한다는 것이다.

헤겔G.W.F. Hegel, 1770~1831은 『정신현상학』에서 주인과 노예라는 개념으로써 인정 투쟁을 설명하고 있다. 인정 투쟁에서 승리한 자는 주인이 되고, 패배한 자는 노예가 된다. 그런데 주인은 노예가 있어야 존재를 인정받을 수 있을 뿐만 아니라 노예의 노동을 빌려야 삶을 영위할 수 있다. 표면적으로는 주인이 지배자인 것 같지만 사실은 노예가 주인의 목숨을 틀어쥐고 있는 형국이다. 주인의 목숨이 자기 손에 달렸다고 생각한 노예는 더 이상 평범한 노예가 아니다. 노예는 새로운 인정 투쟁을 벌여 주인 자리를 획득하려고 한다. 만약 노예가 이 투쟁에서 승리하면 관계가 역전되어 노예가 주인이 되고, 주인이 노예가 된다. 이것이 주인과 노예의 변증법이다.

악셀 호네트Axel Honneth는 그의 주요 저서 『인정 투쟁: 사회적 갈등의 도덕적 형식론』에서 사회적 투쟁이 발생하는 것은 더 나은 새로운 인정 질서를 만들어 내려는 욕구 때문이라고 했다. 자아를 실현하기 위해서는 언제나 타인의 인정이 필요한데 좋은 사회는 서로가 서로를 인정하는 사회이다. 호네트는 상호 인정 방법으로 사랑, 법적 권리, 사회적 연대 이 세 가지를 들었다. 그런데 이 상호 인정이 깨지고 무시와 모욕이 난무하면 사회적 투쟁이 발생하게 된다.

그는 영국 폭동 사태2011년 8월를 예로 들었다. 영국 정부는 재정적 혜택을 받는 이들과 그렇지 못한 이들을 구분해 배제와 소외를 불러왔다. 또한 영국 경찰은 지역을 구분해 시민을 감시하고 일상적으로 폭력을 휘둘렀다. 이러한 무시와 모욕이 도덕적 분노를 일으켰고, 마침내 폭동으로 표출되었다는 것이다. 국민은 주권적 존재로서 정부로부터 자기를 인정받고 사회적 존재로서 만인에게 동등하게 대접받고자 한다. 촛불 집회를 위시한 모든 사회적 폭동은 인정 투쟁의 결과라고 할 수 있다.

함께 읽기 | 헤겔 『정신현상학』, 악셀 호네트 『인정 투쟁』

자본론

🔍 기업이 돈을 벌수록 노동자가 가난해지는 이유

자본론Das Kapital은 자본주의와 화폐 경제를 과학적으로 분석한 마르크스의 저작이다. 이 책의 두드러지는 점은 자본주의를 '자본가'과 '임금 노동자'의 관계로 파악했다는 것이다.

현대 사회에서 생산물은 상품이라는 형태를 취한다. 상품이라는 말 자체가 가격을 갖고 있는 물건이라는 뜻이다. 상품의 가격은 상품을 생산하는 데 얼마만큼의 노동 시간이 투여됐는지에 따라 결정된다. 자본주의 사회에서 경제 활동이란 1시간 걸려 만든 A라는 상품을 팔아, 1시간 걸려 만든 B라는 상품을 사는 일이다.

이처럼 자본주의 사회의 특수성은 노동력을 상품으로 매매한다는 데 있다. 그런데 노동력을 산 자본가는 임금을 회수할 수 있을 만큼만 노동자를 부리는 것이 아니라 그 이상의 노동력을 사용한다. 이것을 잉여 노동剩餘 勞動이라고 하고, 이렇게 생산된 생산물의 가치를 '잉여 가치'라고 한다. 말하자면 잉여 가치란 자본가가 노동력에 대한 대가를 제대로 지불하지 않고 슬쩍한 이득이다.

자본가는 잉여 가치의 일부분을 생산 수단원료, 기계을 구입하는 데 사용한다. 생산 수단에 투여되는 돈은 어느덧 임금을 넘어서게 된다. 기계 설비를 사들이는 편이 노동력을 구매하는 것보다 자본가에게 이득이기 때문이다. 사회 전체를 놓고 보면 사회 자본이 증대할수록 임금은 감소하는 결과를 낳게 된다.

결국 자본가 계급이 부를 축적할수록 노동자프롤레타리아 계급은 빈곤으로 내몰리고, 노동자와 자본가 사이에 사회적 분쟁이 발생하게 된다. 이를 계급 투쟁이라고 한다. 투쟁 결과 기존 시스템은 무너지고 사회는 자본주의에서 공산주의로 넘어가게 된다는 게 마르크스의 예측이었다. 블라디미르 레닌은 마르크스를 적극 수용하여 이 땅에 프롤레탈리아 독재를 건설하고자 했다. 그는 어차피 일어날 일을 이룩하는 데 동참하자며 혁명을 일으켰지만 현실 사회주의는 70년을 못 채우고 막을 내리고 말았다.

4차 산업 혁명 시대를 맞아 인공 지능, 로봇 공학, 사물 인터넷, 자율 주행이 인간의 일을 대신할 거라고들 한다. 로봇에게 일자리를 빼앗기고 나면 인간은 할 일이 없어질 것이다. 노동을 통한 수입이 끊긴 인간에게 어떤 미래가 기다리고 있을 것인가. 비참으로 내몰릴 것인가. 새로운 방식의 사회 체제가 수립될 것인가. 인간의 미래는 아무도 알 수가 없다.

함께 읽기 | 마르크스 『자본론』

포스트모더니즘

이성이 옳지만은 않다

    포스트모더니즘postmodernism은 1960년대에 등장한 탈근대주의 이론이다. 데리다, 리오타르, 보드리야르는 2차 세계 대전이라는 초유의 사태를 맞아 근대가 쌓아 올린 이성주의를 근본적으로 회의하고, 이성 중심주의가 쌓아 올린 엄격성을 해체하는 포스트모더니즘 운동을 벌였다.

    포스트모더니즘 사상가들은 과학 기술에 대한 계몽주의적 신념을 부정하는데 진보를 표방하는 이성의 논리가 도리어 사람들을 살상하고 억압하는 데 이용되는 것을 목도했기 때문이다.

    데리다는 이성 중심주의가 세상을 본질과 현상, 선과 악, 남성과 여성, 음성과 문자로 대립시킨 후 전자가 후자를 억압하고 지배하는 구조라며, 이러한 곤란을 벗어나는 방편으로 해체deconstruction를 제시했다. 해체 곧 탈구조는 단순한 파괴destruction가 아니라 어떠한 지배 질서의 출현도 용인하지 않으려는 하나의 지향이라고 할 수 있다.

    포스트모더니즘 예술의 경우 기성 체제에 흡수되어 비판 정신을 잃은 모더니즘에 반발하면서 발전했다. 포스트모더니즘 예술은 형식적으로 고급 문화와 하급 문화의 구분을 지우는데 문학의 경우 장르와 매체의 구분을 해체하여 모든 텍스트들이 내적으로 상호 연결되어 있다는 '상호 텍스트성' 이론을 표방한다. 모더니즘 시대의 작가가 조이스, 카프카, 앨리엇이라면, 포스트모더니즘을 대표하는 작가로는 호르헤 루이스 보르헤스가 있다.

한동안 한국 문단은 표절 시비로 몸살을 앓았다. 모 평론가가 작가를 감싸는 차원에서 표절이 아니라 혼성 모방에 기반한 포스트모던 기법이라고 변명했는데 정확히 말하면 혼성 모방, 패러디, 오마주는 '익히 알려진 작품'을 다른 차원으로 승화시킨 것이다. 잘 알려지지 않은 작품을 아무 말 없이 베꼈을 때는 표절 의심을 받을 수밖에 없다.

포스트모더니즘 음악은 우연성을 강조한 즉흥 연주, 거리 음악, 뉴에이지 등으로 표현되며 소리나 장르를 지배하지 않으려는 확장성이 강하다. 모더니즘을 대표하는 음악가가 쇤베르크, 스트라빈스키라면 포스트모더니즘 계열 음악가로는 존 아담스, 존 케이지, 스티브 라이히가 있다.

르 코르뷔지에, 그로피우스로 대표되는 모더니즘 건축은 극단의 기능주의와 미니멀리즘을 표방하며 큰 인기를 끌었지만 지나친 엄격함과 합리성으로 인해 한계에 봉착하게 되었다. 그러자 그 대안으로 포스트모던 건축이 등장했다. 그리스 가구에서 영감을 받은 AT&T 빌딩, 프라하의 '댄싱 빌딩'과 같은 포스트모더니즘 건축물은 전통에 대한 존중, 상징성을 무기로 대중에게 보다 쉽게 다가간 측면이 있다.

최근 유튜브와 SNS가 대중화되면서 직업, 광고, 검색, 미디어, 음악, 미술, 금융 등 거의 모든 장르의 경계가 지워지고 있다. 인류는 궁극의 포스트모더니즘 시대를 살게 된 걸까. 아니면 포스트모더니즘이라는 단어마저 벗어던지게 된 걸까.

랑그와 빠롤

🔍 언어는 대상과 직접적인 관련이 없다

랑그와 빠롤Langue et Parole은 구조주의 언어학자 소쉬르에 의해 정의된 용어로 랑그는 '문법'을, 빠롤은 '발화'를 뜻한다. 쉽게 말해 랑그는 언어의 틀이고, 빠롤은 일상의 대화 언어라고 생각하면 된다. 사람 간에 대화빠롤가 가능한 것은 언어가 통일된 틀랑그을 갖고 있기 때문이다.

가령 오케스트라 단원들이 연주를 한다면 악보에 해당하는 것이 랑그이고, 단원이 청중에게 들려주는 음악이 빠롤이다. 그날그날의 음악은 단원의 컨디션이나, 지휘자의 지시에 의해 조금씩 달라질 수 있지만, 노래 자체가 다른 곡이 되지는 않는다. 연주는 악보에 기초하기 때문이다. 노래를 듣고 곡명과 작곡가를 알아맞히는 것은 어렵지 않다. 랑그는 바뀌지 않기 때문이다. 그런데 귀가 예민한 사람은 어제의 지휘자와 오늘의 지휘자가 다른 것을 안다. 빠롤은 사람마다 다르기 때문이다.

소쉬르는 언어학에 있어 연구 대상이 될 수 있는 것은 본질에 해당하는 '랑그'뿐이라고 했다. 이 말 때문에 그는 후기 구조주의자들의 비난에 직면하게 되었다.

소쉬르의 또 다른 개념으로 시니피앙과 시니피에Signifiant et Signifié가 있다. 시니피앙은 우리말로 '기표'이다. 기호로서의 글자를 의미한다. 한편 시니피에는 '기의'이다. 개념을 뜻한다. 소쉬르는 시니피에를 직접적으로 드러낼 수 없고, 다만 시니피앙의 차이에 의해 드러난다고 했다.

가령 Tree는 'Tree'라는 글자와 '트리'라는 소리를 갖는다. 이것이 기표시니피앙인데 이 Tree는, 글자만 놓고 보면 아무 의미가 없다. 어쩌다 Tree라 불리게 된 것이지 꼭 나무를 뜻하는 글자가 Tree여야 하는 법은 없기 때문이다. 그러나 Tree라고 하면 우리는 나무의 이미지를 떠올리는데 이것은 우리가 나무에 대한 개념을 알고 있기 때문이다. 이 이미지와 개념 부분이 기의시니피에에 해당한다.

소쉬르가 이런 개념들을 펼쳐 놓은 것은 로고스 중심주의 언어학에 반대하기 위해서였다. 언어란 문법과 발화, 기표와 기의의 관계를 통해 형성되는 구조적 결과일 뿐 사물을 직접적으로 지시할 수는 없다는 뜻이다.

리좀

🔍 무한 질주하라, 통섭하라, 융합하라

리좀Rhizome은 들뢰즈와 가타리가『천 개의 고원』에서 근대 이성 중심주의를 비판하기 위해 차용한 용어이다. 원래 리좀은 지표면 아래에서 사방으로 뻗어 나가는 식물의 줄기를 의미한다. 라이좀이라고도 하며 우리말로는 지하경地下莖이다. 리좀을 이용해 지표면을 덮으며 자라는 식물을 지피 식물이라고 한다. 대표적인 지피 식물로 잔디, 쑥이 있다.

들뢰즈G. Deleuze, 1925~1995는 수목형 식물의 상대적인 개념으로서 '리좀'을 제시했다. 수목형 식물의 특징은 뿌리, 가지, 잎이 수직적 위계를 갖는다는 것이다. 이런 계층적 질서는 쉽게 바꿀 수 없을 뿐더러 한 번 뿌리 내린 자리에서 다른 곳으로 이동하는 것도 쉽지 않다. 이성의 논리가 지배하는 근대 사회는 정치, 과학, 제도, 권력, 자본에 대해 양극의 관계성 안에 갇혀 있었다. 교수와 학생, 화이트칼라와 블루칼라, 생산과 소비로 구분된 수목형 구조의 사회가 계층 간 접속과 융합을 가로 막고 있었던 것이다.

이에 들뢰즈는 수목형 구조의 한계를 넘어서는 리좀 구조를 새 시대가 요구하는 용어로 제시했다. 리좀의 특징은 무한 질주와 엉킴이다. 질주와 엉킴은 뿌리, 가지, 잎의 위계를 지운다. 리좀은 시작과 끝이 없다. 중간에서 싹이 돋아 수평적으로 성장한다. 설사 가운데 부분이 잘린다 해도 생명체는 죽지 않고 다른 길을 모색하며 뻗어 나가기를 계속한다. 리좀은 계층화, 구조화되어 있지 않고 중심이 없으며, 외부에 대해 열려 있는 게 특징이다.

들뢰즈가 강조하는 탈영토, 탈근대, 탈중심, 융합, 기관 없는 신체Body without Organ가 바로 리좀적 사유이다. 이질적인 것의 연결은 창조력의 시발점이 될 뿐만 아니라 코로나 사태와 같은 뜻하지 않은 사회 변화에 대해 탄력적으로 대처하도록 해 준다.

들뢰즈의 또 다른 용어인 노마드Nomad는 기존의 가치를 부정하고 새로운 가치를 찾아 헤매는 사람을 일컫는다. 여기서 파생된 '디지털 노마드', '잡노마드'는 비대면, 비접촉이 일상으로 자리 잡은 뉴노멀 시대에 가장 잘 들어맞는 인간 유형이 아닐까.

함께 읽기 | 질 들뢰즈, 펠릭스 가타리 『천 개의 고원』

철학·과학 12

무의식

🔍 내 안의 타인

무의식無意識. unconsciousness은 의식하지 않은 상태에서 발생하는 심적 현상의 총체이다. 정신 분석학자이자 무의식의 제창자인 지그문트 프로이트는 인간의 행동을 결정하는 것은 수면 아래에 갇혀 있는 무의식이라고 했다. 무의식은 내면에 잠재되어 있다가 꿈, 농담, 실언 등 통제하지 못하는 활동을 통해 외부로 표출된다.

프로이트의 '대화 치료'는 대화를 통해 환자의 무의식에 갇힌 감정 에너지를 외부로 꺼내 증상을 치료하는 작업이다. 프로이트의 상담자 중에 엠마라는 부인이 있었다. 그녀는 광장 공포증을 앓았는데 옷 가게에 들어가는 것을 몹시 두려워했다. 열두 살 때 옷 가게 점원들이 자신의 옷을 보고 웃었다는 게 그 이유였다. 옷을 보고 웃은 게 왜 상처가 될까.

프로이트는 대화 치료 중에 엠마의 기억 저편에 숨어 있던 또 하나의 기억을 찾아낸다. 여덟 살 때 어떤 가게에 갔다가 주인에게 성추행당한 일이 그것이다. 그는 웃으면서 옷 위로 그녀를 추행했다. 그녀는 너무 어려 그때는 그게 무엇을 의미하는지 알지 못했다. 그 기억은 그대로 내면에 잠자고 있다가 그녀가 성에 대해 눈을 뜰 무렵인 열두 살 때 되살아났고 그때서야 트라우마로 자리 잡게 되었다. 엄밀히 말하면 엠마의 상처는 여덟 살이 아닌, 열두 살에 받은 것이다. 무의식 속에 숨어 있던 바로 그 사건을 찾아내자 엠마의 광장 공포증은 치료되었다.

한편 프로이트의 용어인 '자기방어 기제'는 불안으로부터 자신을 보호하기 위해 무의식적으로 조절하거나 왜곡하는 사고, 행동 수단을 말한다. 가장 기초적인 자기방어 기제인 '억압'은 수용하기 어려운 욕구나 기억을 무의식적으로 차단하는 행위다. 한편 '동일시'는 무의식적으로 다른 사람의 가치나 태도를 내면화함으로써 적절치 않은 충동을 통제하는 것이다. 가령 아들이 아버지의 행동을 모방하는 것은 어머니를 차지한 아버지에 대한 적대감을 해소하기 위한 것이라는 게 프로이트의 주장이다.

프로이트의 계승자인 라캉은 "무의식은 언어처럼 구조화되어 있다."고 했다. 그는 무의식에 언술 행위를 추가함으로써 '욕망의 그래프' 도식을 제시했다. 한편, 아들러와 융은 프로이트와는 다른 관점인 개인 심리학, 분석 심리학 차원에서 무의식 개념을 다루었다.

상상계·상징계·실재계

우리 사는 세계는 하나가 아니야

상상계the Imaginary Order·상징계the Symbolic Order·실재계the Real Order는 프랑스의 정신 분석학자 라캉이 그의 주요 저서 『에크리』에서 구분한 현실 세계의 위상이다. 얼핏 현실 세계는 HD TV가 비춰 주듯 명확하고 또렷한 하나의 화면처럼 보이지만, 사실은 주체가 대상과 관계 맺는 방식에 따라 '상상계, 상징계, 실재계' 세 가지로 구분되어 있다는 것이다.

상상계는 아기의 세상이다. 아기는 영상, 이미지로 세계를 받아들인다. 인간은 말을 통해 이치와 도리를 배우는데 아기는 아직 말을 배우지 못했기 때문에 세상의 법도 모르고, 자아에 대한 개념도 없다. 그러다가 거울 단계라 불리는 시기. 즉 6개월에서 18개월에 이르러 거울 속 이미지를 통해 나를 만나게 된다. 거울 이미지를 자기로 착각한다는 점에서 상상계는 오인과 착각의 세계이다. 이 시기 아기는 "나는 특별해!", "나는 잘생겼어!" 같은 나르시시즘적인 도취에 빠지는데 성장해도 상상계를 완전히 떠나는 게 아니어서 어느 정도는 나르시시즘적인 자기 기만에 빠져 있게 된다.

상징계는 법과 인륜이 지배하는 현실 세계이다. 상징계란 언어, 문자, 법과 같은 상징에 구속된 세계라는 뜻이다. 인간은 상징계에 접어들어 말을 배우는데 엄마, 아빠 다음으로 배우는 말이 '지지' 혹은 '에비'와 같은 금지어이다. 하지 마, 먹지 마, 만지지 마, 가지 마…… . 아이에게 금지의 말을 그토록 빨리 가르치는 것은 금지가 아이의 생존과 직결되어 있기 때문이다. 위험을 피하고, 공동체에 소속되려면 금지 사항을 확실하게 내면화해야 한다.

이때 사람 사는 도리를 가르쳐 주는 사람은 '아버지'다. 아버지가 아니라도 아버지 역할을 맡은 사람이 아이에게 아버지의 이름 nom de père 즉 법을 선포하게 된다. 아재 개그를 좋아하는 라캉은 '아버지의 이름'을 '아버지의 안 돼'non de père로 바꾸는 식의 기표 놀이를 즐겼다. 아버지의 이름은 아이에게 금지어 즉 부정 명령으로 기입된다.

상징계는 인간이 주체로 거듭나는 지점이기도 하다. 여기서 라캉의 주체는 데카르트의 주체처럼 생각하는 주체가 아니라 욕망하는 주체이다. $빗금친 주체는 '내 마음 나도 모른다'는 뜻으로 주체가, 사실은 주체적이지 않다는 의미를 갖는다. 진짜 주인은 내 안의 그놈a: 작은타자a이다. 주체는 그놈의 비위를 도무지 맞출 수 없어 어떤 음식, 옷, 이성으로도 만족을 못한 채 욕망을 욕망하다 세상을 뜬다.

코로나 2.5단계 상황에서 한 중년 남자가 슬리퍼로 지하철 승객을 마구 때렸다. 금지를 내면화하지 못한 적실한 예다. 마스크를 쓰라는 말에 분노하여 사람을 때렸다니. 늦더위에 더위를 먹지 않았다면, 억압이 쌓이고 쌓여 폭발한 것일 터이다. 안타깝지만 상징계에서 이런 아저씨는 법적 절차에 의거해 벌을 받을 수밖에 없다.

실재계는 이미지, 언어 모두를 넘어서는 곳에 있다. 영문으로 실재를 the Real로 표기하는 것은 언어라는 상징에 포획되지 않았다는 뜻이다. 실재를 육안으로 보기는 어려운데 마치 양자 역학의 세계 같다. 실재계가 또렷이 보이는 순간 현실 세계는 일그러지고 만다. 우리가 볼 수 있는 것은 실재의 조각이다. 가령 가난한 아이에게 빵 한 조각을 나눠 주고 홀연히 사라지는 사람이 있다면, 그를 통해 우리가 예수의 사랑을 경험하게 된다면 그는 사람일까, 신일까. 신이 보낸 사람일까.

함께 읽기 | 브루스 핑크 『에크리 읽기: 문자 그대로의 라캉』

도그마

Q   자신의 사상을 맹신하다

도그마dogma는 독단적인 신념이나 학설을 가리킨다. 도그마티즘Dogmatism은 우리말로 교조주의教條主義로 해석할 수 있는데 특정한 사상이나 종교의 교리를 맹신하는 경향을 뜻한다. 아주 쉽게 풀이하면 '사상적 고집'이라고 할 수 있다.

근대기 교조주의는 극단적인 합리주의자를 지칭하는 단어였다. 지배적인 문헌이 존재할 경우, 교조주의자는 해당 문헌이 가리키는 구절만을 단편적으로 해석하는 우를 범한다. 칸트는 경험을 무시하고 오로지 이성만을 추구하는 사람을 교조주의자로 몰아세웠다.

현대 사회에서 교조주의는 종교 맹신자를 가리킨다. 과학이 발전하면서 입지가 줄어들 것을 우려한 신학자들이 기독교에 대한 비판을 원천 봉쇄했고, 계몽사상가들은 그들의 신앙적 도그마를 '비합리적인 독단'으로 규정했다.

불가지론

Q   앎이 불가하다

불가지론不可知論, agnosticism은 사물의 본질은 인식 불가능하다
는 철학적 관점이다. 한자어 불가지不可知는 '앎이 불가하다'는 뜻
이다. 불가지론의 대표적인 예로 인간은 신적 존재에 대해 알 수
없고, 신이 존재하는지조차 알 수 없으며, 신에 대해 입장을 가질
필요조차 없다고 주장하는 경우가 해당된다. 이 세상에 완벽한
진실이 존재한다는 관점을 견지하는 '교조주의'와는 정반대의 개
념이다.

무신론無神論과 헷갈리기 쉽지만, 무신론은 신이 없는 게 진실
이라고 믿는, 일종의 교조주의이기 때문에 무신론과 불가지론은
같지 않다. 불가지론자를 싸잡아 무신론자라고 할 수는 없지만,
불가지론자 중에는 비종교인이 많은 것이 사실이기 때문에 무신
론적 경향이 있다고 할 수는 있다.

흔히 영적인 존재가 있을 것 같다고 하면서도 딱히 종교를 갖
지 않는 사람들이 있다. 이들은 유신론적 불가지론자 범주에 속
한다. 한편 무신론적 불가지론자들은 기독교, 점성술, 외계인론

에 반박하여 과학적 사고를 견지해야 한다고 주장하는 사람들이다.

칼 세이건은 그의 저서 『악령이 출몰하는 세상The Demon-Haunted World』에서 '내 차고 안의 용'을 예로 들었다. 내 차고에 보이지도 않고, 형체가 없으며, 떠다니고, 열이 없는 불을 뿜는 용이 있다면 그런 용이 없는 것과 무슨 차이가 있느냐며, 건전한 회의론자 입장에서 비과학적인 음모론을 경계해야 한다고 말했다. 칼 세이건과 리처드 도킨스는 대표적인 불가지론자이다.

성리학

Q. 본질과 현상은 하나일까, 둘일까

성리학은 중국 송명대宋明代에 출현한 유학의 한 계통으로, 성명性命과 이기理氣의 관계를 논한 학문이다. 남송의 주희가 집대성하여 '주자학'이라고도 한다. 우리나라에는 고려 말기에 들어와 조선 500년간 이황, 이이 등 뛰어난 유학자를 배출하며 확고한 통치 이데올로기로 자리 잡았다.

성명性命이란 천성과 천명을 뜻하는 말로, 하늘운명의 규제를 받는 인간 존재를 가리킨다. 이기理氣란 이와 기의 합성어이다. 이理는 사물을 지배하는 이치를 뜻하며, 기氣는 사물의 현상적 요소로서 유형적 특징을 가진다.

이기론은 성리학의 핵심 이론으로 무형적 특성으로 인해 불변의 존재로 규정된 이와, 유형적 특성에 근거해 생멸을 가진 존재로 규정된 기가 상호 작용하여 우주 만물을 구현한다고 본다. 한국 성리학의 흐름에 있어 이기론은 우주 현상에 대한 관심보다는 도덕 실현의 준거를 해명하려 했던 특징이 있다. 조선 초기에는 주희의 '이기 이원론'이 주류를 이루어 정도전이 이선기후理先氣後

를 주장했으며, 조선 중기에도 이황이 이존기비理尊氣卑로서 이기 이원론을 따랐다. 그중 이황의 사단칠정四端七情에 대한 탐구는 사상사의 관점에서 매우 중요한 의미를 지니고 있다.

'이기 일원론'은, 본질의 '이'와 현상의 '기'가 별개의 존재가 아니라 하나라고 주장하는 이론이다. 이이는 주희나 이황과 다름없이 우주 현상은 이와 기로 구성되어 있으며, 이와 기에 의해 생성하고 변화한다는 데는 동의했으나 '이와 기는 혼연하여 틈이 없어서 원래 서로 떠나지 않았으니 두 가지 존재라 할 수 없다'고 이기 일원론을 옹호했다.

음양오행설

🔍 우주는 음과 양의 상호 작용에 의해 움직인다

음양오행설陰陽五行說은 성리학적 세계관의 하나로 우주의 삼라만상을 발생시키고 변화, 소멸시키는 힘에 대한 주장이다. 음양오행설에 의하면 우리가 발 딛고 있는 우주는 음양이 맞물려 돌아가는 거대한 구조체로, 서로 간의 상호 작용에 의해 운행된다. 음양의 운행도를 도식으로 나타낸 것이 태극인데, 태극 문양을 보면 붉은색의 양과, 파란색의 음이 길게 꼬리를 끌며 서로를 감싸듯 원을 그리고 있는 것을 알 수 있다.

오행은 음양 이론에 시간 개념을 보태 사물의 변화를 설명한다. 원을 찢고 외부로 탈출하려는 기운을 목木이라고 한다. 이 기운을 사방으로 흩어 놓는 작업을 화化, 흩어진 기운을 모아 정리하는 것을 금金, 정리된 기운을 단단하게 굳히는 것을 수水라고 한다. 토土는 원환 운동이 일어나도록 돕는 중재자 역할을 하는데 글자 그대로 우리가 발 디디고 있는 땅을 의미한다.

음양오행설에 따르면 봄은 목, 여름은 화, 가을은 금, 겨울은 수 기운이며, 인간의 생로병사는 출생봄, 성장여름, 성숙가을, 노화

겨울라는 음양오행의 경계 안에 있다.

한의학에서 음양오행론은 매우 비중 있게 다루어지는데 인체를 소우주로 보고, 체내의 음양이 평형을 유지해야 정상적인 생리 상태가 유지될 수 있다고 주장한다. 질병은 양이나 음 어느 한쪽으로 기운이 치우칠 경우 발생하므로 모자란 쪽은 보해 주고, 넘치는 쪽은 사하는 것이 한의학의 주요 치료 원리이다. 장기 역시 오행의 원리에 따라 간은 목, 심장은 화, 비장은 토, 폐는 금, 신장은 수로 구분되며 상생相生과 상극相剋의 관계 속에서 생리적인 상호 협조와 제약, 평형 속에서 생리 현상이 유지된다.

조선 말의 한의학자 이제마는 음양오행의 원리에 따라 사람의 체질을 태양인, 소양인, 태음인, 소음인 네 가지로 나누고 각 체질에 따라 내장의 대소 허실이 결정된다는 주장을 했다.

아리스토텔레스는 만물이 물, 불, 공기, 흙의 네 가지 원소로 이루어졌다는 4원소설을 제시했는데, 후대 사람들은 여기에 에테르ether라는 물질이 우주를 가득 채우고 있어서 빛이 전파되는 매체 노릇을 한다고 믿었다. 이러한 5원소설과 음양오행설은 언뜻 연관이 있어 보이지만 5원소설은 물질의 근원에 대한 가정이고, 오행설은 운동 에너지에 대한 것이기 때문에 차이가 있다고 할 수 있다.

토정비결

🔍 일 년 열두 달 동안의 길흉화복을 점치다

　토정비결土亭秘訣은 개인의 사주와 육십갑자를 이용해 일 년 열두 달 동안의 길흉화복을 점치는 것으로 토정 이지함1517~1578이 창안했다. 사주四柱란 태어난 연·월·일·시를 일컫는데 토정비결은 이 가운데 연·월·일 세 가지만 필요로 한다. 육십갑자六十甲子란 십간과 십이지를 조합하여 만든 60개의 간지를 말한다. '십간'은 갑, 을, 병, 정, 무, 기, 경, 신, 임, 계이며, '십이지'는 자, 축, 인, 묘, 진, 사, 오, 미, 신, 유, 술, 해를 일컫는다.

　토정비결 가운데 상괘태세수는 태어난 해, 중괘월건수는 태어난 달, 하괘일진수는 태어난 날을 가리킨다. 이들 수를 조합하여 세 자리 괘를 완성한 후 책에서 해당 숫자를 찾으면 된다. 해당 연도의 총운이 맨 앞에 나온 후 열두 달의 운세가 이어진다.

　토정비결은 우리나라 세시 풍속으로 자리 잡을 만큼 민간에서 큰 인기를 얻었다. 정월이면 많은 사람들이 재미로, 혹시나 하는 마음으로 일 년 운세를 점친다. 조선 중기에 등장한 토정비결이 500년 넘도록 긴 생명을 유지할 수 있었던 것은 주역보다 단순하고, 한글로 되어 있는 데다, 시조처럼 운율을 잘 살려 읽는 재미가 있기 때문이다.

'운이 들었다고 허욕을 탐하다가는 길한 가운데 흉함을 얻게 된다', '기쁨과 근심이 상반하니 너무 원대한 일을 도모하면 오히려 불리하다'는 식의 글귀는 신문의 '오늘의 운세'에서도 따라 하고 있다.

토정비결이 한 해의 운수를 점치는 것이라면, 일생의 길흉화복을 점치는 것은 사주명리다. 한편 주역周易은 사서삼경의 하나로 인간사에서 발생할 수 있는 모든 시나리오를 64괘로 상징화해 그 괘를 읽는 것이다.

이용후생학파

🔍 백성이 잘 사는 게 최고!

이용후생학파利用厚生學派는 18세기 후반, 백성의 일상적 삶을 풍요롭게 만드는 학문을 연구했던 실학파를 지칭한다. 북학파 학자인 홍대용, 박지원, 박제가가 대표적인 이용후생학파 학자이다. 원래 이용후생은 『서경』에 등장하는 용어로, 생활의 쓰임에 편리한 기계나 유통 수단을 의미하는 '이용'과, 옷과 음식 등을 풍부하게 하여 백성의 삶을 풍요롭게 만드는 '후생'이 합쳐진 말이다.

유학의 시조 '공자'는 교육에 앞서 백성의 먹거리를 해결해 주는 것을, 공자의 계승자 '맹자'는 백성의 생산 기반을 마련해 주는 것을 왕도 정치의 근본으로 삼았다. 이처럼 유학은 경세제민을 통해 백성의 삶을 풍요롭고 바람직하게 만드는 것이 원래 목적이었다.

그런데 유학이 군위신강, 부위자강, 부위부강 등 삼강오륜에 천착하면서 어느덧 임금 하나만을 위해 신하와 백성이 존재하는 것처럼 이념이 변질되었다. 유학의 이러한 경향은 성리학에 이르러 극대화되었다. 조선은 성리학을 건국 이념으로 삼은 나라였다. 임진왜란과 병자호란을 겪으면서 백성의 생활이 말할 수 없이 궁핍해지자 굳건하던 성리학도 뿌리째 흔들리게 되었다. 이에 구체적인 민생의 고통을 해결할 수 있는 실학사상이 대두된 것이다.

실학사상은 이수광, 유형원, 이익으로 대표되는 경세치용학파에서 출발해, 홍대용, 박지원, 박제가, 이덕무 중심의 이용후생학파에 이르러 빛을 발했고, 19세기 초 정약용, 김정희 등 실사구시학파에 전수되어 백성들 삶의 질을 향상시켰다.

이용후생학파가 제시한 이용후생의 덕목은 다음과 같다. 첫째, 봉건적 신분 질서인 사농공상을 타파하고 보통 교육을 확대함으로써 사회를 개혁한다. 둘째, 공업과 상업에 치중해 국가 경제 체제를 확립한다. 이를 위해 경제 유통을 위한 도로망을 정비하고, 국부를 늘리기 위해 외국과 활발히 교역한다. 셋째, 농업, 공업, 방직, 군사, 의료, 천문, 수학 등 각 분야에 있어 중국과 서양의 선진적 기술을 적극적인 수용한다. 넷째, 북학파를 정식 학파로 인정하고 실학을 발전시킨다.

이용후생학파의 이상은 현 시대가 요구하는 경제 정책과 정확하게 맞아떨어진다. 국가의 부를 증진시키면서, 국민의 복지를 도모하는 정책 그 이상의 경제 정책은 없다.

함께 읽기 | 역사학회 『실학연구입문』

생명의 기원

🔍 나의 조상이 탄생한 곳은 원시 수프?

생명의 기원abiogenesis은 지구 최초의 유기물 합성에 대한 연구이다. 주로 화학 진화에 기반한 가설들을 다루는데 가장 널리 알려진 게 원시 수프 가설이다. 소비에트 연방의 생물학자 알렉산드르 오파린은 원시 바다에 있던 유기물들이 파도에 밀려 해안가에 고여 있다가 햇볕에 증발되면서 농축되었고 그 진한 유기물 수프에서 최초의 생명이 탄생했다고 주장했다. 1952년 스탠리 밀러가 실험을 통해 무기물로부터 유기물이 형성될 수 있음을 입증하면서 원시 수프 가설은 힘을 얻기 시작했다.

그러나 세월이 흘러 1970년 경 대두된 '심해 열수구 가설'이 원시 수프 가설을 누르고 더 큰 설득력을 얻게 되었다. 과학자들이 1977년 바다 속 해저 열수구를 탐사하면서 섭씨 100도가 넘는 열수구 주변에서 독립영양 박테리아들이 황 성분을 영양분 삼아 번식하는 것을 발견한 것이다. 이러한 현상은 체내 대사 활동과 흡사했다. 스탠리 밀러의 제자들도 화산 폭발에 기반한 다양한 실험을 전개하며 심해 열수구 가설에 힘을 보탰다.

그 밖에 우주에서 날아온 운석에 생명의 씨앗이 심어져 있다는 배종 발달설이 또 하나의 생명의 기원설로 꼽힌다. 한편 자연 발생설과 창조설은 더 이상 과학계에서 언급되지 않고 있다.

철학·과학 21

특수 상대성 이론

🔍 　시간과 공간은 절대적인 게 아니다

　　특수 상대성 이론theory of special relativity이란 시간과 공간은 절
대적인 것이 아니며, 관측자에 따라 상대적으로 주어진다는 이론
이다. 아인슈타인이 제시한 이론으로 E=mc²으로 공식화된다.

　　아인슈타인은 고전 역학이 전자기학맥스웰 방정식을 온전히 설명
하지 못하는 것을 보고 새로운 이론의 필요성을 고민하게 됐다.
맥스웰은 전자기파의 속도를 계산하기 위한 방정식을 발견했는
데, 이렇게 구한 값이 갈릴레이의 대칭성을 위반했던 것이다.

　　이 사실에 흥미를 느낀 아인슈타인은 1905년 「운동하는 물체
의 전기 역학에 대하여」라는 짧은 논문에서 전자기학이 갈릴레이
의 대칭성을 따를 수 있는 이론을 찾아냈다. "첫째, 관측자에 대
해 빠른 속도로 운동하는 물체는 시간이 느려진다. 둘째, 관측자
에 대해 빠른 속도로 운동하는 물체는 운동 방향으로의 길이가
짧아진다. 셋째, 관찰자 A의 눈에 동시에 일어난 것으로 관찰된
두 사건은, A에 대해 상대 운동을 하는 관찰자 B의 눈에는 동시
에 일어난 것으로 보이지 않으며, 에너지와 질량은 같은 양이고

변환 가능하다."는 내용의 특수 상대성 이론이 그것이다.

특수 상대성 이론이 세상에 나온 지 10년이 지나 아인슈타인은 또 하나의 업그레이드된 이론인 일반 상대성 이론을 발표한다. 일반 상대성 이론은 '시간과 공간은 별개가 아니라 서로 간 영향을 주고받는 4차원의 연속체로 시공간이라 부르며, 그러한 시공간은 질량을 가진 물체에 의해 휘어진다'는 게 주요 내용이다. 대표적인 예로 블랙홀이 있다. 질량이 매우 큰 천체는 그 중력으로 인해 시공간을 심하게 왜곡해서 빛을 삼켜 버리는데 이것이 블랙홀이다.

'아인슈타인의 십자가'는 페가수스자리에 있는 준성으로 마치 별 5개가 십자가 형태로 배치된 것처럼 보인다. 하지만 이 천체는 지구로부터 80억 광년 떨어진 하나의 퀘이사우주 발광체가 지구로부터 4억 광년 떨어진 은하 뒤에 놓인 것으로, 퀘이사로부터 출발한 빛이 은하의 휘어진 공간을 날아오면서 '중력 렌즈 효과'가 발생하여 여러 개로 흩어져 보이게 된 것이다. 아인슈타인의 일반 상대성 이론이 등장하면서 뉴턴의 고전 물리학 시대는 막을 내리게 되었다.

철학·과학 22

슈뢰딩거의 고양이

Q 안 보면 살아 있고, 보면 죽어 있고

    슈뢰딩거의 고양이Schrödinger's cat는 소립자의 세계에서 생사의 중첩이 가능하다는 것을 설명하는 사고 실험이다. 원래는 양자 역학의 불완전성을 비판하기 위해 1935년 에르빈 슈뢰딩거가 고안했지만, 아이러니하게도 양자 역학의 불확정성을 설명하는 예시로 사용되고 있다.

    밀폐된 상자 안에 고양이 한 마리와 청산가리가 든 병, 라듐, 가이거 계수기, 망치가 들어 있다고 하자. 상자 속 라듐 핵이 붕괴하면 가이거 계수기가 방사선을 탐지하는데 이때 자동으로 망치가 유리병을 깨뜨려 청산가리를 유출시킨다. 고양이는 청산가리를 마시고 죽게 된다. 라듐이 붕괴할 확률은 한 시간 뒤 50%. 한 시간 뒤에 고양이는 죽었을까 살았을까? 뚜껑을 열기 전까지 알 수 없으므로 상자 속 고양이는 삶과 죽음이 중첩된 상태로 존재한다는 것이다.

    우리가 사는 세계에서 삶과 죽음이 동시에 존재한다는 것은 상식적으로 불가능한 이야기다. 하지만 우리가 눈으로 볼 수 없는 미지의 세계에서는 가능하다. 1927년 클린턴 데이비슨과 레스터 저머는 전자의 이중 슬릿 실험을 통해 '슈뢰딩거의 고양이'의 모순이 가능하다는 것을 증명했다. 나란히 놓인 두 개의 작은 구멍을 한 개의 전자가 동시에 통과하는 것을 실험으로 보여 준 것이다. 더 이상 쪼개지지 않는 전자가 어떻게 두 개의 구멍을 동시에 통과할 수 있었을까.

이것은 전자가 입자이면서 파동의 성질을 갖기 때문이다. 다만 전자가 한꺼번에 이 두 가지 성질을 동시에 나타내는 일은 없다. 간섭 효과와 같은 파동의 성질을 관측하고자 하면 파동으로 보이고, 위치와 같은 입자의 성질을 관측하고자 하면 파동이 사라지고 입자의 속성만 남는다. 우리가 어느 측면을 보느냐에 따라 속성이 달라지는 것이다.

양자 역학에서, 상보성 원리complementarity principle는 대립되는 두 개의 물리량이 상호 보완하여 하나의 세계를 형성하는 것을 말한다. 상보성의 원리는 닐스 보어가 1927년에 착상한 것으로 어떠한 물리량들은 동시에 측정될 수 없으며 상호 보완적인 켤레로서만 완전해진다는 이론이다. 양자의 파동성과 입자성은 상호 배타적이면서도 보완적이어서, 두 가지 측면은 동시에 나타나지 않지만 서로 보완해 하나의 우주를 형성한다. 이것은 매우 중요한 철학적인 문제로 하이젠베르그가 정립한 불확정성 원리의 근간이자 양자 역학의 핵심을 이룬다.

아인슈타인이 "신은 주사위 놀이를 하지 않는다God does not play dice."는 말로 양자 역학을 부정하자, 닐스 보어가 "신이 하는 일에

이러쿵저러쿵 하지 말라Stop telling God what to do."고 일침을 놓은
이야기는 유명하다.

초끈 이론

만물의 근본은 끈

    초끈 이론Superstring Theory이란 입자, 점으로 설명되지 않는 과학 현상을 선, 끈으로 대체한 것이다. 과거에는 더 이상 쪼개지지 않는 가장 작은 물질의 단위를 원자atom라 불렀다. 하지만 현대 물리학에서 원자는 원자핵중성자+양성자과 전자로 이루어져 있다는 게 밝혀졌다. 그리고 원자핵을 이루는 중성자, 양성자는 쿼크quirk라고 불리는 기본 입자 세 개가 모여 형성된 것이다. 중성자, 양성자, 전자처럼 아주 작은 존재를 소립자라고 부른다. 원자가 축구장 크기라면, 원자핵은 축구장 한가운데에 놓인 구슬이고, 전자는 축구장을 떠도는 먼지 정도에 비유될 수 있다.

    본다는 것은 빛이 물체에 부딪혀 우리의 눈에 상이 맺히는 것인데 중성자, 양성자, 전자 이 기본 입자들은 크기가 너무 작다 보니 가시광선이 닿을 면적이 안 된다. 과학자들은 빛이 가진 전자기파의 파장을 아주 짧게 압축하면 소립자를 눈으로 보는 일이 가능하다는 것을 알아냈다. 하지만 빛의 파장을 압축하면 에너지가 너무 커져 빛이 입자에 닿는 순간, 입자를 흐트러뜨리게 된다.

소립자는 존재하지만, 그것을 보려고 하면 사라지고 마는 것이다. 이는 앞에서 언급한 '불확정성의 원리'와 관련이 있다.

소립자는 눈으로 볼 수 없지만 영향력은 확인되기 때문에 과학자들은 기본 입자 간의 상호 작용을 계산하기 위해 이것들을 아주 작은 점으로 가정했다. 이런 가정은 제법 잘 들어맞았다. 하지만 입자만으로 설명할 수 없는 게 있으니 바로 '중력'이다.

양자 역학에서 모든 물리적 힘은 입자에 의해 옮겨진다. 아인슈타인은 일반 상대성 이론에서 중력을 시공간 그 자체라고 했다. 중력은 입자가 아니기 때문에 일반적인 수학 법칙을 적용하면 잘 들어맞지 않는다. 그래서 과학자들은 중력과 양자 역학의 결합 방법을 찾는 과정에서 점 대신 선, 끈으로 소립자를 설명하는 방식을 고안했다.

초끈 이론에 의하면 끈은 모든 입자의 근본적인 모습으로, 끈의 진동 패턴과 진동수에 따라 서로 다른 입자로 보이게 된다. 중력 역시 이 초끈 이론을 대입하면 간단하게 설명된다. 중력을 매개하는 중력자가 바로 이 끈의 진동에서 나온다고 생각하면 일반 상대성 이론의 양자 역학적 기술이 가능해지는 것이다.

문제는 이 초끈 이론은 우리가 사는 시공간에는 잘 들어맞지 않는다는 사실이다. 초끈 이론은 10개의 차원을 필요로 한다. 우리가 사는 시공간이 4차원인데 나머지 6차원은 어디에 있을까? 시공간 어딘가에 돌돌 말아 구겨 넣어져 있을 것이라고 초끈 이론은 이야기한다. 구겨진 공간이 풀려 나와 우리 눈앞에 펼쳐지려면 우리의 상상을 초월하는 에너지가 필요하기 때문에 초끈 이론이 맞는지 아닌지 실험으로 검증하는 것은 아직까지 현실적으로 불가능하다.

올바른 이론은 반드시 실험으로 검증이 돼야 하기 때문에 초끈 이론은 정식 이론으로 대접받지 못하고 있다. 하지만 학계의 부정적인 반응에도 불구하고 세계 초일류 대학들은 여전히 초끈 이론 연구에 매진하는데 유의미한 실험 결과만 얻어 낸다면 초끈 이론이야 말로 '모든 것의 이론'으로 우뚝 설 가능성이 있기 때문이다.

아니 어쩌면 이미 초끈 이론은 자기 역할을 다했는지도 모른다. 중세기 연금술을 생각해 보자. 원래 목적엔 실패했다고 해도 연금술이 인류 문화 발전에 기여한 공로는 결코 적지 않다. 비록 미완으로 남았지만 이제까지 초끈 이론이 수학계, 과학계에 미친 영향만큼은 누구도 부정할 수 없다.

함께 읽기 | 박재모, 현승준 『초끈 이론: 아인슈타인의 꿈을 찾아서』

오컴의 면도날

Q 　조금 더 간단한 쪽을 선택하라

오컴의 면도날Occam's Razor는 '단순함의 경제성'으로 설명된다. '복잡한 이론과 간단한 이론이 있을 때, 간단한 쪽을 선택하라'는 뜻이다. 영국의 논리학자이자 수사였던 오컴의 윌리엄 William of Occam, 오컴 출신 윌리엄이 1324년, 토론 시 논리 비약이나 불필요한 진술을 잘라 내는 면도날을 도입하자고 제안한 데서 따온 말이다.

가령 집에 바퀴벌레가 나타났다고 하자. 먼저 5,000원짜리 튜브 살충제를 사다가 구석구석 쌀알만큼 짜 놓는 방법이 있다. 또 다른 방법은 업체에 의뢰해 본격적인 방역 작업을 하는 것이다. 업체에 전화하니 1회 10만 원의 비용이 들고, 미리 예약을 해야 하고, 최소 일주일을 기다려야 한다고 말한다. 이때 어느 것부터 시작하는 게 맞을까? 당연히 쉽고, 저렴하고, 빠른 방법인 튜브 살충제부터 시도하는 게 옳다. 이것이 오컴의 면도날이다.

오컴의 면도날은 철학 용어지만 과학, 경제 분야에서도 빈번하게 쓰이는데 이론이 간결하고 직관적일수록 다양한 환경에 대입하여 결과를 예측하기 좋기 때문이다. 머신 러닝으로 데이터를 분류할 때 가장 기본적인 모델이 가장 좋은 결과를 내는 경우가 많다. 데이터 분류는 반복 작업이 필수인데 사용자 입장에서 기본 모델이 이해하기도 쉽고, 개선하기도 쉽기 때문이다.

오해하지 말아야 할 것은 무조건 간단한 것이 능사는 아니라는 것이다. 가령 며칠 동안 기침이 계속될 경우 손쉽게 감기를 의심하게 된다. 하지만 감기가 아니라 폐암, 비염일 수 있으며 심지어 코로나19라는 진단이 나올 수도 있다. 코로나 확진자와 접촉한 일이 없다면 감기 치료부터 시작하는 게 오컴의 면도날이다. 하지만 의사의 입장에서는 다양한 가능성을 염두에 두고 면밀하게 검토해야 하는데 이것이 '히캄의 격언'이다.

히캄의 격언Hickam's dictum은 의학적으로 '환자들은 모든 질병을 앓을 수 있다'는 것에 기초한다. 의사는 환자의 사소한 증상까지 빼놓지 않고 체크함으로써 모든 질병에 대한 가능성을 열어두어야 한다는 의미이다.

러셀의 찻주전자

Q.   부재를 증명하라니 말이 돼?

　러셀의 찻주전자Russell's teapot는 버트런드 러셀이 기독교를 비판하기 위해 고안한 비유로 '부재를 증명하는 것은 매우 어려운 일이므로, 존재를 주장하는 사람이 그 증거를 입증해야 한다'는 내용을 담고 있다. 러셀은 소문난 무신론자였는데 기독교인들이 그에게 하나님이 없다는 사실을 증명하라고 하자 "신을 믿는 사람들이 신의 존재를 증명해야 맞지, 신의 존재를 의심하는 사람이 부재를 증명하는 것은 말도 안 된다."고 반박했다.

　그는 1952년 저작물인 「신은 존재하는가?Is There a God?」에서 처음 찻주전자 비유를 들었다.

　"지구와 화성 사이에 중국풍 찻주전자가 존재하지 않는다는 사실을 아무도 입증할 수 없지만, 그럼에도 불구하고 아무도 찻주전자가 존재할 가능성이 있다고 생각하지 않을 것이다. 기독교 하나님에 대해서도 마찬가지다."

　중국풍 찻주전자가 지구와 화성 사이에 둥둥 떠다닐 거라고 누구도 생각하지 않는데 그것이 없다는 사실을 증명하라고 하는 것은 억지라는 것이다.

그는 찻주전자 비유 외에 '러셀의 역설'로도 유명하다. 마을에 이발사가 단 한 명 있는데 어느 날 그가 "나는 스스로 면도를 하지 않는 모든 사람들의 수염을 깎아 주겠소. 하지만 스스로 면도하는 사람은 깎아 주지 않겠소!"라고 한다면 이 이발사의 수염은 누가 깎아 줄 것인가.

마을 사람 누군가 이발사의 수염을 깎아 준다면 이 이발사는 스스로 면도하지 않는 사람이 되므로 자신의 수염도 깎아 주어야 한다. 그러나 그렇게 되면 스스로 면도하는 사람이 되므로 자신의 수염을 깎지 말아야 한다.

러셀의 역설을 해결하기 위해 많은 수학자들이 덤벼들었는데 다 실패하고 결국 '계형 이론'을 통해 러셀 스스로 이 모순을 해결하게 된다.

계형 이론階型 理論, theory of types이란 집합의 유형에 따라 위계를 설정하는 이론이다. 스스로 면도하지 않는 사람들의 집합과, 스스로 면도하지 않는 사람을 깎아 주는 사람들의 집합은 층이 다르므로 같은 선상에 놓고 보면 안 된다는 것이다. '자신이 원소가 되는 개념을 사용해 집합을 정의하면 안 된다'는 것이 계형 이론의 핵심이다.

트렌디한 대화를 위한

지식 키워드 164

발행일
2021년 8월 10일 초판 1쇄

지은이	● 임요희
펴낸이	● 김종해
펴낸곳	● 문학세계사
출판등록	● 1979. 5. 16. 제21-108호

주소	● 서울시 마포구 신수로 59-1(04087)
대표전화	● 02-702-1800
팩스	● 02-702-0084
이메일	● mail@msp21.co.kr
홈페이지	● www.msp21.co.kr
페이스북	● www.facebook.com/munsebooks

ⓒ 임요희, 2021
ISBN 978-89-7075-163-4 03030